EIFFEL

Nicolas D'Estienne d'Orves

EIFFEL

A história de amor que mudou Paris para sempre

tradução:
Julia da Rosa Simões

VESTÍGIO

Copyright © 2021 Éditions Michel Lafon, Eiffel

Título original: *Eiffel*

Este livro é uma adaptação do filme *Eiffel*, de Martin Bourboulon.
Roteiro original de Caroline Bongrand.
Adaptação e diálogos de Caroline Bongrand, Thomas Bidegain, Martin Bourboulon, Natalie Carter e Martin Brossollet.

© 2021 – VVZ Production – Pathé Films – M6 Films – Constantin Film Produktion

Todos os direitos reservados pela Editora Vestígio. Nenhuma parte desta publicação poderá ser reproduzida, seja por meios mecânicos, eletrônicos, seja via cópia xerográfica, sem a autorização prévia da Editora.

EDITOR RESPONSÁVEL
Arnaud Vin

REVISÃO
Júlia Sousa

EDITOR ASSISTENTE
Eduardo Soares

ADAPTAÇÃO DE CAPA
Diogo Droschi

PREPARAÇÃO DE TEXTO
Eduardo Soares

DIAGRAMAÇÃO
Christiane Morais de Oliveira

Dados Internacionais de Catalogação na Publicação (CIP)
Câmara Brasileira do Livro, SP, Brasil

d'Orves, Nicolas d'Estienne
  Eiffel / Nicolas d'Estienne d'Orves ; tradução Julia da Rosa Simões. -- 1. ed. -- São Paulo : Vestígio, 2021.

  Título original: Eiffel
  ISBN 978-65-86551-56-3

  1. Ficção francesa 2. Romance histórico 3. Paris, França. 4. Torre Eiffel 5. Século XIX. Título.

21-77116   CDD-843

Índices para catálogo sistemático:
1. Ficção : Literatura francesa 843

Aline Graziele Benitez - Bibliotecária - CRB-1/3129

A **VESTÍGIO** É UMA EDITORA DO **GRUPO AUTÊNTICA**

São Paulo
Av. Paulista, 2.073 . Conjunto Nacional
Horsa I . Sala 309 . Cerqueira César .
01311-940 São Paulo . SP
Tel.: (55 11) 3034 4468

Belo Horizonte
Rua Carlos Turner, 420
Silveira . 31140-520
Belo Horizonte . MG
Tel.: (55 31) 3465 4500

www.editoravestigio.com.br
SAC: atendimentoleitor@grupoautentica.com.br

Prólogo

Bordeaux, 1859

A água estava gelada. Ele sentiu o corpo atravessado por milhares de lâminas, que penetravam sua pele, sufocando-o. O frio, extremo, tornava-se escaldante. Seu rosto parecia lacerado por chamas que devoravam as bochechas, a testa, os lábios. O choque foi tão grande que sua boca se abriu e foi logo invadida por uma água enlameada – que ele engoliu num grande trago antes de conseguir prender a respiração.

Tudo aconteceu tão rápido! O operário corpulento, de sapatos mais largos que o píer improvisado. As tábuas gastas, escorregadias, mal encaixadas umas às outras. E o momento de desatenção, quando o homem decidiu assobiar à jovem que passava na margem oposta, do outro lado do Garonne.

Um segundo, um acidente.

Um passo em falso, as costas que caem para trás e um grito incrédulo, quase alegre, que rasgou os tímpanos de todos.

Assombro geral.

– Meu Deus! É Chauvier!

Todos ficaram paralisados. No entanto, se tivessem sido interrogados um a um, teriam confessado que receavam a chegada daquele momento. Desde o início das obras, aliás. Pauwels lhes garantira que os andaimes eram firmes, que não apresentavam nenhum risco, que a passarela seria construída como uma brincadeira de criança. Todos acreditaram. Ou preferiram acreditar. E Pauwels pagava bem. Em Bordeaux, era um dos melhores contratantes. Enfim, os operários estavam orgulhosos de trabalhar naquele projeto. Aquela passarela de metal era revolucionária, diziam os jornais. Nos cafés, nas ruas, eles eram interpelados pelos que queriam saber mais.

– Então, o que nos contam de novo?

– Quando a ponte vai ser inaugurada?

Aquilo os envaidecia; eles se sentiam cúmplices de uma façanha. Sem falar no jovem engenheiro de 26 anos que os inflamava, que não poupava esforços, que era o primeiro a chegar na obra e o último a sair. Uma bomba de energia e ideias, aquele Gustave Eiffel. Seu nome soava germânico, embora ele se dissesse borgonhês. Mas, no fim das contas, eles não estavam nem aí. Em um canteiro de obras não há nacionalidades, apenas trabalhadores.

Chauvier também trabalhava. Era inclusive um dos mais comprometidos com o trabalho. Eiffel logo reparara nele e passara a confiar em seu bom senso e em sua intuição rudimentar. Não fora Chauvier quem avisara o engenheiro da precariedade daquele andaime?

– Seria bom falar com o sr. Pauwels. Ele que manda. Um pouco mais de madeira já ajudaria.

– Vou fazer isso – prometera Eiffel.

Infelizmente, a recusa fora categórica.

– Nem pensar! – bradara Pauwels, sem dar ouvidos às advertências do engenheiro.

– Mas, sr. Pauwels, se tivermos um acidente, o senhor será responsabilizado!

– Ora essa! Cada um é responsável pela própria segurança, meu amigo. Além disso, cabe ao senhor zelar pelo bom andamento das obras, que já estão me saindo bem caro. Lembre-se de que o maior salário é o seu.

Gustave Eiffel voltara para a construção de mãos abanando, mas os operários não pensaram mal dele.

– O senhor ao menos tentou, sr. Eiffel – Chauvier dissera.

Gustave lhe dera um tapinha no ombro.

– Precisamos ser um pouco mais cuidadosos, está bem, Gilles?

– Sou mais leve que um carrapato! – rira o operário.

Mas Chauvier acabou caindo, de cabeça, soltando aquele grito terrível!

Na cabeça de Gustave, tudo aconteceu tão rápido que ele não teve tempo de pensar. Caso contrário, ele teria pulado?

Sem tirar sequer os sapatos, o engenheiro mergulhou.

Ele foi tomado pelo frio num segundo, mas sua determinação falou mais alto. Apesar das águas enlameadas e escuras, ele conseguiu avistar o corpo de Chauvier, que afundava. Viu os olhos incrédulos dos operários, fixos nos seus. Por sorte, o rio não estava cheio naquela época do ano. Em poucos segundos, Eiffel agarrou aquele homem duas vezes maior do que ele pela cintura e, com toda força, empurrou o fundo do Garonne com os pés. Outra sorte: tomou impulso numa tábua que caíra do andaime nos primeiros dias da obra.

A subida durou uma eternidade. Dizem que nessas horas – que precedem o instante fatal – a vida inteira passa diante de nossos olhos. Mas Eiffel reprimiu todas as lembranças. Não estava na hora de seu balanço final. Ele chegaria à superfície antes de se afogar.

O ar que penetrou os pulmões dos dois homens foi extremamente doloroso. Talagadas de lava derretida, que ambos vomitaram ao chegar à margem.

Os operários estavam reunidos e tentavam ajudá-los a sair do rio.

Chauvier se deixou cair de costas e sorriu para o céu.

Eiffel imitou-o, depois virou o rosto para o operário.

– Mais leve que um carrapato?

Chauvier soltou uma gargalhada dolorida e começou a tremer.

– Todos podem se enganar, sr. Eiffel. Mas uma coisa é certa, o senhor é um verdadeiro herói.

Gustave encolheu os ombros e fechou os olhos. Nunca o ar lhe pareceu tão agradável.

1

Paris, 1886

— Sr. Eiffel, aos olhos dos Estados Unidos da América, o senhor é um herói!

Que sotaque curioso... Redondo, alongado, com súbitas paradas. Eiffel sempre se perguntou como se formam os sotaques. Estariam ligados ao clima, ao relevo? As vogais seriam mais sensíveis ao sol, as consoantes à chuva? O sotaque americano seria uma síntese das inflexões inglesas, irlandesas e holandesas? Talvez, mas haveria uma língua anterior a todas elas? Uma estrutura primitiva?

"Um esqueleto...", pensa Eiffel, olhando para os lábios carnudos que o elogiam.

A bem da verdade, faz meio século que ele dedica sua vida aos esqueletos. Ele abriu mão de quase tudo — família, amores, férias — por sua paixão pelos ossos. Fêmures de metal, tíbias de aço. Aquela enorme mulher verde, que veste roupas um tanto ridículas e se ergue diante do público, também é filha de Eiffel. Ela lhe deve sua estrutura mais secreta, mais íntima.

— Gustave, algo errado? — murmura Jean. — Viu uma assombração?

— Ela já não é uma assombração...

Eiffel volta a si e toma consciência de onde está, com quem e por quê.

O embaixador Milligan McLane não percebe nada e continua sua ladainha, com aquele sotaque terrível, diante de um público que cabeceia de tédio sob colarinhos postiços e bigodes avantajados.

— O senhor afirma, com modéstia, ser responsável apenas pela estrutura interna da "Estátua da Liberdade". Mas essa ossatura é que faz e fará sua força.

Alguns senhores se viram para Eiffel e o encaram com admiração. Ele gostaria de lhes mostrar a língua, mas prometera que se conteria. Compagnon chegara a lhe suplicar que ele se contivesse.

"Gustave, isso é parte de sua missão."

"Você sabe muito bem que não estou nem aí para honrarias."

"Não peço por mim, nem por nós, nem pelos Empreendimentos Eiffel. Se não fizer isso por você mesmo..."

"Faça por mim", emendou Claire, sua filha, entrando no escritório, enquanto ele apertava o nó da gravata borboleta. "E me deixe ajudar, papai, assim vai amassar o colarinho..."

Gustave Eiffel é um homem de ação, não de aparências. Ele sempre detestou os bajuladores, as convenções, as formalidades dos gabinetes ministeriais e as tramas das embaixadas.

Mas Compagnon está certo: ele precisa jogar o jogo. E se, com isso, ele satisfizer sua querida filha, melhor ainda.

— Essa estátua resistirá a todos os ventos, a todas as tempestades. Em cem anos, continuará aqui.

— Espero que sim, imbecil! — murmura Eiffel, alto o suficiente para que Compagnon lhe dê uma cotovelada nas costelas.

Mas o engenheiro dá um passo à frente e acrescenta, sorrindo ao embaixador:

— Mais, muito mais que cem anos...

Os presentes riem com satisfação e todos são da opinião de que Eiffel é espirituoso. Gustave olha para eles com falsa benevolência. Mais um pouco e...

Aproveitando seu passo à frente, o embaixador se aproxima do herói do dia e brande a medalha.

Eiffel se espanta com seu tamanho diminuto. Ele recebeu várias ao longo dos anos. Condecorações nacionais, regionais, coloniais: todas são atiradas numa gaveta que as crianças adoram abrir no Carnaval. Aquela terá o mesmo destino.

"Tudo isso por causa dela...", pensa Eiffel consigo mesmo, virando-se para "sua" estátua. Será mesmo sua, aliás? A forma, os encantos, o olhar, a empáfia: tudo vem de Bartholdi, o escultor. A partir de agora, os viajantes que entrarem no porto de Nova York passarão por ela. Ela será a primeira americana que eles conhecerão. Mas a quem atribuirão sua paternidade? Ao artista ou ao engenheiro? Dos dois, quem é o artista, o verdadeiro criador? A arte não está naquilo que está oculto, naquilo que não se mostra? Todas as pontes, passarelas e viadutos construídos por Gustave nos últimos trinta anos são obras de arte ou simples objetos? Não chegou a hora de ele construir uma estrutura, um esqueleto, que possa existir exclusivamente por si e para si? Que seja a revanche e o triunfo dos ossos?

Uma alfinetada o tira de seus devaneios. O embaixador fizera de propósito? Ele percebera o olhar fugidio do homenageado, em quem espetara a agulha da medalha a poucos milímetros do mamilo direito?

O americano permanece impassível e Eiffel disfarça uma careta.

– Em nome do povo americano e de seus valores, nomeio-o cidadão honorário dos Estados Unidos da América. *God Bless America!*

– *God Bless America!* – os presentes repetem em coro.

Um francês o teria cumprimentado. O embaixador o aperta entre seus braços, depois o beija nas duas bochechas. Gustave se retesa. Seu velho sangue alemão sempre vem à tona quando ele se depara com gestos demasiado íntimos. Os americanos são decididamente muito entusiasmados. E que hálito, Jesus do céu!

"Comeu um sapo, senhor embaixador?"

Ele não diz nada, é claro, mas como teria gostado...

***

– O ianque fedia a alho! Um horror!

– Deu para perceber, por sua cara... Espero que ninguém tenha notado...

Eiffel olha para os presentes, que cacarejam bebericando champanhe.

– Eles? São cegos e surdos...

Um velho acadêmico se precipita na direção de Eiffel e aperta calorosamente sua mão murmurando um cumprimento que a ausência de dentes torna incompreensível.

– Mas não mudos... – acrescenta Compagnon, enquanto o velho se afasta cambaleando em seu traje verde.

– Bom, já chega – conclui Eiffel, dirigindo-se para o vestiário.

– Gustave, espere!

– Esperar o quê? Essa gente não para de tagarelar. Você sabe que odeio tagarelices...

Compagnon olha em volta, como se temesse que a atitude de Eiffel melindrasse os demais. Faz anos que ele apara as arestas, evita os mal-entendidos. Tarefa bastante ingrata: Gustave é seu sócio, não seu soberano. Mas Eiffel não faz por mal. A amizade entre eles – porque eles são amigos de verdade – se baseia nessa estranha relação de dependência e cumplicidade. Como o cego e o paralítico.

Hoje, por exemplo, Gustave não deveria ser tão desenvolto. Compagnon o avisara, ao entrar na embaixada dos Estados Unidos, na Rue du Faubourg-Saint-Honoré. Haveria bastante gente. Ou seja, futuros contratos.

"Não precisamos de contratos..."

"*Sempre* precisamos de contratos! Dá para ver que não é você quem cuida das finanças, Gustave."

"É exatamente por isso que nos tornamos sócios. Para mim, números são medidas, não moedas..."

Mas Compagnon tem razão. Naquela noite, a sociedade inteira está reunida sob a bandeira americana. Aquele não era o momento de bancar a diva.

– As pessoas só falam na Exposição Universal, que acontecerá daqui a três anos, você sabia? Praticamente amanhã...

Gustave finge não ouvir e pega uma taça de champanhe antes de fazer uma careta.

– Viu só? Morno. Esses americanos, decididamente...

Compagnon agarra o braço de Eiffel e o empurra com certa força para um canto da sala, sob um velho quadro que representa a cidade de Cape Vincent, no Lago Ontario. Uma paisagem datada, envelhecida, como os fantasmas que frequentam aqueles salões.

Compagnon aponta para um homem de costas largas que parece saltitar, como se estivesse impaciente.

– O grandão, ali. É do Ministério das Relações Exteriores. Disse que Freycinet quer um monumento para representar a França em 1889.

– Um monumento?

Vendo que finalmente capturou a atenção do engenheiro, Compagnon insiste.

– Sim! Querem que fique em Puteaux, na entrada de Paris. Para levar a ele, aliás, querem construir uma ferrovia metropolitana, como a de Londres. Um trem que passe por baixo do Sena.

A ideia desperta Eiffel na mesma hora.

– Isso é bom, *muito* bom!

Compagnon se sente confiante.

– Viu? Não viemos até aqui por nada! Precisamos falar com o Ministério para propor projetos, plantas.

– Do metrô? Tem razão. Informe-se.
– Não do metrô, Gustave! Do monumento...

Quando Gustave põe uma coisa na cabeça, é difícil removê-la.

– A ideia do metrô não tem nada de novo. Além disso, todo mundo está trabalhando nela – acrescenta Compagnon.

– E onde está todo mundo? – pergunta Eiffel, colocando o paletó.

Compagnon precisa confessar que não sabe.

Sorriso do engenheiro, que se inclina e faz uma pequena reverência a alguns convidados que percebem sua partida. Vendo que alguns se aproximam, ele caminha de costas e chega ao pátio da embaixada. Compagnon o segue de perto. A mente de Gustave já está longe. Um metrô! Que seja melhor que o inglês! Ele imagina túneis, estruturas metálicas, o esqueleto de uma gigantesca minhoca!

– Informe-se, por favor. Um monumento não serve para nada. Mas um metrô... que belo projeto. Um projeto *de verdade*!

2

Bordeaux, 1859

Pauwels não sabia o que mais o deixava irritado: o acidente de Chauvier, a inconsequência de Gustave Eiffel ou sua própria sovinice, que quase o confrontara a um verdadeiro drama.

Quando se aproximou dos dois homens deitados na margem, os operários se afastaram. Havia entre eles uma mistura de respeito e antipatia. Pauwels era o chefe...

– Por Deus, quem o senhor pensa que é? Não devia ter pulado!

Eiffel começou a se levantar e, mais por reflexo do que por simpatia, Pauwels estendeu-lhe a mão.

– Eu avisei, senhor Pauwels. Com mais madeira, teríamos andaimes mais largos e ninguém cairia na água...

Os operários assentiram, sem ousar abrir a boca. Eles não sabiam até que ponto podiam apoiar o engenheiro.

– E eu já lhe disse mil vezes: o orçamento é apertado!

Os presentes se imobilizaram, à espera da resposta.

Apontando para os operários, Eiffel falou, com calma:

– E eu preciso de todos os meus homens...

Pauwels entendeu que pisava em ovos. Ele não queria provocar um motim. Se isso acontecesse, o orçamento seria realmente afetado. E ele tinha contas a prestar.

Aproximando-se de Eiffel, pegou-o pelo braço, como se os dois estivessem num encontro social, e assumiu um tom conspirador.

– Seu homem não morreu – ele disse, apontando para Chauvier.

O operário continuava sorrindo para o céu, como se o Bom Deus acabasse de lhe conceder uma prorrogação.

Eiffel foi obrigado a aquiescer.

– Então pare de me incomodar com essa história de madeira.

– Cuidarei disso pessoalmente, nesse caso – bradou Gustave.

– Cuidará disso pessoalmente? E o que mais?

Sem olhar para Pauwels, Eiffel se enrolou num cobertor e girou nos calcanhares.

– Aonde está indo? Seque-se, por Deus! Não pode ficar doente agora!

Se tivesse visto o rosto de seu engenheiro, Pauwels teria descoberto um sorriso satisfeito e zombeteiro. Eiffel adorava desafios, e preparava-se para enfrentar um novo. Ele havia começado seu dia salvando um homem do afogamento. Comparado a isso, enfrentar o homem mais rico de Bordeaux seria uma brincadeira de criança.

– Eiffel, volte aqui! – gritou Pauwels, perdendo toda a autoridade. – Não vá fazer uma besteira, por favor!

3

Paris, 1886

    Eiffel gosta de barulho. Não do burburinho mundano das recepções, dos cochichos dos salões, mas do barulho franco de homens bebendo e brindando, aos brados. Ele se lembra do ambiente das obras, dos ateliês. Homens em corpo a corpo com seus trabalhos, mergulhados nas obras do momento, ocupados em criar do nada uma massa, uma forma. Ocupados em tornar real, tangível, aquilo que Gustave havia *imaginado*. A imaginação: a força de enxergar longe, de maneira diferente. E isso só pode acontecer em meio ao zunzum constante que sucede o grande silêncio da inspiração, que sempre foi para o engenheiro objeto de fascínio e terror. Quando está sozinho diante de suas ideias, quando vislumbra a centelha que dará origem ao primeiro desenho, Gustave sente medo. Ele se vê menino, na orla de uma floresta, à noite, sem saber de que lado o lobo mau irá aparecer. Mas ele nunca aparece. Pelo contrário. Quando o medo se torna indizível e impalpável é que sua criatividade começa a funcionar; ele precisa tocar o fundo do poço da inquietação e da dúvida para subir até a *boa* ideia. Foi assim que os Empreendimentos Eiffel se tornaram o que são, gênios do ferro, poetas do metal. Ferro e metal que só podem existir com essa grande algazarra de fundições, martelos, bancadas, músculos suados, cenhos franzidos, atenções focadas. Com barulho. Seu querido barulho. Sua casa.

É por isso que Gustave se sente tão bem nos bares onde ninguém se ouve. As multidões cheias de gritos, berros e empurrões têm algo de tranquilizador. Depois da derrota de 1870, elas se multiplicaram. Quantos alsacianos encontraram refúgio em Paris, fugindo da hidra de capacete pontudo? Eles preferem servir sua cerveja aos dragões da República do que aos soldados de Bismarck. O chucrute será francês ou não será.

– Mais uma cerveja, senhor Eiffel?
– Perfeito! E traga uma dúzia.
– De ostras?
– Claro!
– É pra já!
– Pai, você ainda nem terminou a primeira dúzia...
– Você me conhece, estou sempre à frente...
– E não coma tão rápido, assim vai se engasgar!
– Sim, mamãe...

Claire faz uma careta. Ela não gosta que seu pai fale assim com ela. É verdade que ela se preocupa demais com a família, mas esse é seu papel de filha mais velha. Depois da morte de sua mãe, nove anos atrás, ela se tornou a verdadeira dona da casa. Mas que ele a chame de mamãe, já é demais. Não é bom para ele, nem para ela. Ele percebe seu erro e coloca a mão suja sobre a de Claire.

– Desculpe, minha querida... Às vezes sou muito desagradável.

Diante do sorriso do pai, Claire sente seu rancor desaparecer. Pai e filha se adoram! "Eles são unha e carne", dizem os funcionários nos corredores dos Empreendimentos Eiffel, em Levallois-Perret, quando Claire passa para ver se o pai pegou o cachecol, ou quando ela lhe leva um piquenique num cesto. Gustave é seu pai, mas também seu modelo, seu ídolo. Quando ela fala sobre ele, sua voz se inflama.

"Você está apaixonada, sério!", dizem-lhe as amigas, zombeteiras.

Claire dá de ombros, nem um pouco incomodada.

"De certo modo. Ele é o homem da minha vida. Ao menos por enquanto."

Foi por isso, aliás, que ela quis vê-lo naquela noite. Ela que marcou o encontro com ele na *Brasserie des Bords du Rhin*, no Boulevard Saint-Germain, pois sabe que Gustave costuma frequentá-la. Ela quer anunciar-lhe algo que precisa receber sua atenção e sua benevolência. Ele precisa estar em seu elemento, portanto.

– Pai, preciso falar com você sobre uma coisa...

Eiffel olha para ela com carinho, mas já está longe. Ele sorve uma ostra atrás da outra, fazendo o ruído de sucção que horrorizava sua esposa.

"Gustave, assim parece um polvo!", ela dizia, prestes a deixar a sala. Claire herdara aquela aversão, mas hoje precisa suportá-la. Não é o momento de melindrar seu pai.

– Deixe-me adivinhar – ele diz, sorvendo outra ostra. – Vai trocar o Direito pelas Belas-Artes?

– Quero me casar...

Claire não acredita que conseguiu falar! Seu corpo é percorrido por uma corrente elétrica, mas ela é a única a perceber. Com o barulho ambiente, Gustave não ouviu o que ela disse.

– Desculpe?

Claire força um sorriso e articula cada sílaba.

– Que-ro me ca-sar.

Impassível, Eiffel encolhe os ombros e mergulha os lábios na caneca que o garçom acaba de lhe trazer.

– Sim, claro, um dia isso vai acontecer – ele diz, limpando o bigode. – Coma, pegue mais uma ostra! O iodo é excelente para a saúde. Para o crescimento. Para tudo.

– Pai...

Gustave é assim de propósito? Às vezes, ele parece um moleque que mereceria uma palmada. Aí sim, poderia chamar a mamãe...

Claire se prepara para voltar ao ataque, mas alguém se aproxima deles.

E dizer que Claire avisara a Compagnon que almoçaria ali com seu pai. Ela inclusive o informara do assunto e pedira que ele não os incomodasse. Hoje mais do que nunca. Não há traição como a dos amigos... O engenheiro e o ex-carpinteiro trabalham juntos há dez anos, a ponto de Jean fazer parte da família. Ao menos aos olhos de Claire.

Infelizmente, Compagnon não parece mais seu querido tio adotivo. No papel de sócio angustiado, ele se senta à mesa deles, sem olhar para Claire, e coloca alguns documentos à sua frente, sem se preocupar com manchas e amassados.

– Já almoçou? – pergunta Eiffel.

Antes mesmo de ouvir a resposta, Gustave brada: "Doze ostras para o senhor aqui!" e abre o jornal que Compagnon mantinha embaixo do braço.

– Falam da medalha americana? Alguma foto?

– Pensei que não estivesse nem aí para honrarias.

– Para honrarias. Mas não para a publicidade. Não vai dizer o contrário, vai?

Enquanto seu pai percorre cada página do *Figaro*, Claire sente seus músculos se crisparem. Compagnon finalmente nota a presença da jovem e percebe ter esquecido que aquele era o dia errado. Ele lhe oferece um olhar de desculpas, mas Claire não tira os olhos do pai.

– Pai, podemos conversar seriamente?

O pai não a ouve mais. Compagnon acaba de lhe entregar uma caneta e o engenheiro assina, folha após folha.

– Sinto muito, Claire – desculpa-se Compagnon, constrangido. – Mas você sabe que...

– Sim, sei...

Claire conhece a incorrigível *concentração* que seu pai sempre lhes recomendava. "Estejam presentes no momento, naquilo que estiverem fazendo. Nunca se dispersem, entenderam, crianças?"

"Sim, papai..."

De repente, Eiffel empurra bruscamente uma das pastas na direção de Compagnon.

– Ora essa, você está renegociando. Não vou pagar isso...

Depois de assinar mais meia dúzia de documentos, Eiffel se deixa cair para trás, como um atleta depois do esforço físico; com o rosto sereno, esvazia metade da caneca.

Claire não tem coragem de voltar ao ataque. Seu pai às vezes tem o dom de estragar tudo.

Um pouco incomodado, hesitando em se despedir – agora que estragou tudo, não seria covardia ir embora? –, Compagnon pergunta a Gustave:

– Voltou a pensar na Exposição Universal? No monumento?

Eiffel dispensa o assunto com um gesto de desprezo.

– Não comece. É o metrô que me interessa...

Ele coloca a mão sobre a da filha e acrescenta:

– Claire, diga-lhe que o metrô é sinônimo de modernidade.

Como um papagaio, Claire repete: "O metrô é sinônimo de modernidade, Jean", mas Eiffel não percebe nenhuma ironia na voz da filha. Pelo contrário, ele fica satisfeito com seu apoio.

Claire se retesa em sua cadeira e pisca para Compagnon, dizendo:

– Por outro lado, um monumento pode ser excitante.

Eiffel fica surpreso, mas Compagnon não perde a oportunidade:

– Tenho certeza de que o monumento é o contrato certo. Prestígio certo.

Mais uma palavra que irrita o arquiteto... Prestígio! Até parece!

– Explique-me por que construir algo que não serve para nada e que precisará ser desmontado...

– Ah, um monumento temporário? – espanta-se Claire.

– Vinte anos – resmunga seu pai. – O mesmo que dizer um segundo...

Compagnon cerra os dentes, mas não se dá por vencido.

– Lembra do projeto de Koechlin e Nouguier?

Eiffel finge procurar na memória, mas sabe muito bem do que o sócio está falando. Uma torre, que lhe parecera muito feia, muito apagada. Ele logo dispensara os dois funcionários, pedindo-lhes outras ideias.

– O pilar que há meses eles tentam nos empurrar? Espero que esteja brincando...

– Você realmente precisa olhar para o projeto de novo.

Eiffel dá de ombros.

– Uma torre. Mas uma torre não serve para nada.

– Talvez, mas pode ser vista de longe...

Eiffel se cala e reflete sobre essa observação. Claire aproveita para se levantar.

– Vou deixá-los...

Gustave sorri para ela com afeto.

– Tem certeza, querida?

– Certeza do quê?

– Você não queria falar comigo?

Seu pai é impossível! Ela gostaria que a mãe voltasse dos mortos para sacudi-lo.

– Não se preocupe – ela murmura, decepcionada.

Apesar de sua raiva, ela beija o pai. O cheiro do perfume dele apaga um pouco de seu mau humor. Ela consegue sorrir e dizer, ao se afastar por entre as mesas cheias de cerveja e chucrute:

– Falamos mais tarde, papai.

– Quando você quiser, querida.

Compagnon vê Claire passar pela grande porta giratória. Ele nota que os homens observam seu corpo, suas formas, o desenho de suas nádegas, apesar das roupas discretas. Numa mesa vizinha, três senhores chegam a apontar para ela com gestos sugestivos.

– Sua filha mudou bastante.

– Você acha?

– Ela se tornou uma mulher...

Diante dessa observação, Eiffel emerge de suas ostras, sinceramente surpreso.

– Uma mulher? Mesmo?

4

Bordeaux, 1859

Pauwels estava certo: ele não podia ficar doente. E ninguém se apresentava à casa dos Bourgès como um maltrapilho. Ele havia passado rapidamente em sua casa para vestir roupas secas, pentear os cabelos e fazer a barba. Seu pai usava barba e Gustave fazia questão de manter o queixo liso e voluntarioso – que não deixava de agradar às jovens de Bordeaux, quando ele sentava à mesa dos terraços dos cafés ao fim do dia de trabalho.

Naquele dia, porém, Gustave Eiffel não ia ao café. Ele se dirigia – sem ser convidado! – a uma das mais belas casas da cidade, ligeiramente afastada do centro. Um dos espetaculares imóveis construídos no Antigo Regime que haviam pertencido a aristocratas locais e que haviam sido comprados por ricos comerciantes – a preços módicos – ao fim da Revolução. Com os proprietários originais no exílio ou de pescoço cortado, era a época dos bons negócios. Eiffel não sabia de onde vinha a fortuna dos Bourgès, mas ela era colossal. Fazia jus àquela grande fachada, àquele jardim florido, àquele bosque profundo e àquele desfile de criados que se agitavam com coordenada graça, como num formigueiro. Vendo-o subir a alameda central que levava ao portão, um mordomo veio a seu encontro. Era um homenzinho duro, de olhar apagado, que falava com um sotaque britânico forçado.

– Senhor, posso ajudá-lo?

– Vim ver o senhor Bourgès.

Expressão de surpresa no rosto do criado, que mediu o desconhecido de alto a baixo, como se avaliasse sua aparência, sua elegância.

– Está sendo esperado?

– Não, mas é urgente – impacientou-se Gustave, num tom seco. – É sobre a ponte...

– A ponte? – espantou-se o mordomo.

– Sim. A ponte sobre o Garonne. Trabalho com o senhor Pauwels.

O semblante do criado se iluminou e ele fez um sinal para Gustave segui-lo.

Outras pessoas chegaram na mesma hora, um casal de jovens e ricos bordelenses, sem dúvida, que fizeram um pequeno sinal ao mordomo – "bom dia, Georges" – "bom dia, sr. conde, bom dia, sra. condessa" – e subiram os degraus da entrada principal.

Eiffel cerrou os dentes quando entendeu que Georges o levava para os fundos da casa. Ele precisou atravessar a lavanderia, a copa e a cozinha, cruzar com camareiras atarefadas, lacaios com bandejas e outros criados que não lhe davam sequer bom-dia, embora ele fizesse questão de cumprimentá-los.

Quando eles chegaram ao grande hall de entrada – tantos desvios para isso! –, Gustave reconheceu uma voz. De timbre grave, rouco, estranhamente camponês para um burguês. Uma voz de vendedor de cavalos. Embora ele estivesse de costas, Eiffel logo identificou a grande silhueta quadrada que mais lembrava um trabalhador de mercado público, um ladrão de bazar, do que um abastado bordelense. Louis Bourgès fora visitar três vezes as obras da passarela para a qual fornecia madeira. Contavam-se muitas histórias sobre aquele homem, sobre sua fortuna, sobre seus métodos. A vida lhe sorria, de todo modo, pois a casa era de um brilho intimidante.

Louis Bourgès estava parado no meio do hall, a meio caminho entre a porta dupla e a escadaria luxuosa que levava ao andar superior. Seus braços giravam e sua voz trovejava.

– Você não vai recomeçar com isso! Moças não usam calças!

– Mas, papai, não estou incomodando ninguém...

– Isso não se faz, você sabe muito bem.

Gargalhada cristalina.

– Então venha me visitar na prisão...

Gustave viu uma silhueta se separar da do colosso e subir correndo as escadas, como uma fada. Seus pés mal tocavam o chão. Num segundo, ela se imobilizou e se voltou, apoiada no corrimão, dardejando-o com seus olhos de gato. Ela sorriu para o pai numa alegria provocadora.

– Adrienne, por favor, seja boazinha...

– Eu *sou* boazinha – ela riu de novo, antes de desaparecer no andar superior.

Bourgès encolheu os ombros e resmungou alguma coisa consultando o relógio de bolso. Foi então que avistou o desconhecido.

– O que posso fazer pelo senhor?

O desconhecido não lhe respondeu, ainda tinha os olhos voltados para a escada, onde a fada havia desaparecido.

– Georges, o que significa isso?

O mordomo precisou dar uma leve cotovelada em Gustave para ele voltar a si. A carranca de Bourgès estava quase em cima dele, Gustave sentiu seu hálito pesado de burguês bem alimentado.

– Vim falar dos andaimes...

Bourgès se mantinha impassível, levemente aparvalhado.

– Dos andaimes?

– Sim, os andaimes da ponte sobre o Garonne.

Seus olhos começavam a se iluminar.

– A ponte... Mas quem é o senhor?

– Gustave Eiffel.

Ao ouvir seu nome, Louis Bourgès se endireitou e perdeu a gravidade. Todo sorrisos, ele pegou a mão de Gustave e apertou-a calorosamente.

– O herói do dia? Desde a manhã, não se fala em outra coisa.

Gustave não estava ali para receber elogios.

– Justamente, senhor Bourgès. Precisamos de madeira. Estou aqui por isso. Precisamos de muito, muito mais madeira...

Aqueles detalhes pareciam ter pouca importância a Bourgès, que esboçou um gesto desenvolto.

– Não seja por isso. Verei com Pauwels – ele disse, tentando voltar para seus afazeres.

– Não. Preciso agora mesmo...

O corpanzil se imobilizou, voltando à inércia, como se houvesse um hiato entre uma mente jovial, vivaz, e aquele corpo tão pesado. Um novo sorriso mediu Gustave de alto a baixo, como o mordomo havia feito. O engenheiro percebeu que despertava aqueles exames.

– É mesmo? – disse Bourgès. – Muito bem, fique para almoçar, então! Assim, falaremos com calma. Sim? Georges, mande colocar mais um prato à mesa.

Aqueles burgueses ricos eram impossíveis! Estavam tão pouco acostumados à objeção que faziam as perguntas e davam as respostas. Por isso eram negociantes temíveis, sem dúvida: decidiam antes de você.

Gustave se preparava a repetir que viera pela madeira quando a porta da sala de jantar se abriu. Todos estavam à mesa e um "ah, papai, finalmente!" ecoou como uma música.

– Vamos? – impacientou-se Bourgès.

Um tanto constrangido, Eiffel o seguiu.

– Meus amigos, temos um convidado surpresa!

Entre os presentes, Eiffel logo reconheceu os olhos de gato.

5

Paris, 1886

A torre está em cima da grande escrivaninha de mogno, perdida entre pilhas de dossiês à espera de assinatura, copos cheios de lápis, xícaras com restos de café. Os dois homens estão alerta, retraídos, intimidados. O chefe examina a maquete, girando em torno da mesa. Seus olhos perscrutam os detalhes, seu cérebro a projeta em tamanho real. Seus gestos têm tudo da fera que cerca a presa. Com uma patada, ele pode abatê-la.

Eiffel se detém e levanta a cabeça na direção dos dois engenheiros.

Seu parecer é definitivo:

– É feia...

Nouguier sobressalta-se e Koechlin começa a dizer que seus quatro pés permitiriam...

– Quatro, seis ou doze, não faz diferença. Se é feia, é feia!

Os dois homens não se mexem, surpresos e humilhados. Ontem ainda, Compagnon os chamara com urgência, pedindo que retomassem o projeto de torre que Eiffel recusara no ano anterior. Eles precisaram construir aquela maquete em poucas horas.

"Talvez seja a chance de suas vidas, meus amigos. Se Gustave gostar, preparem-se para o sucesso!"

Eles passaram a noite preparando cuidadosamente aquela bela estrutura de metal, colocada de manhã sobre a mesa do chefe enquanto ele entrava nos Empreendimentos Eiffel.

Mas seus esforços eram reduzidos a nada por aquela pequena palavra: *feia*.

O gabinete de Eiffel é todo envidraçado, como um aquário. Nas salas vizinhas, todos estão à espreita. Apesar de debruçados sobre plantas, compassos e cálculos, os colegas de Koechlin e Nouguier só têm olhos para aquela cena. Superando sua timidez, Koechlin retoma:

– Fizemos os cálculos: ela pode chegar a duzentos metros...

– O obelisco de Washington mede apenas 169 metros – acrescenta Nouguier.

Eiffel fica ainda mais irritado. Ele se sente diante de duas crianças que tentam justificar uma travessura. Em casa, Albert e Églantine eram mais maduros!

– Então é isso: o importante é chegar mais alto?

– Sim! E seria bom que fôssemos nós!

Eiffel encara Koechlin com uma mistura de irritação e zombaria. Ele gosta de ser desafiado. Nada o entedia mais do que a insipidez. Koechlin sente as pernas tremerem e começa a balbuciar:

– Quando digo *nós*... quero dizer a França...

– A França – zomba Eiffel –, nada mais!

Cada vez mais febril, Koechlin se aproxima da maquete e aponta para a parte mediana do pilar.

– O primeiro andar não será fácil, sabemos. Mas depois, será uma brincadeira de criança.

Eiffel sente seu interesse crescer. E se algo pudesse ser feito com aquela teia de aranha?

Seu cérebro volta a projetar, cogitar, calcular. Mas quando ele imagina o objeto na margem do Sena, em Puteaux, a cena não o convence. Ele se volta para Compagnon, que ainda não abriu a boca, encostado à parede de vidro. Compagnon convocara os dois engenheiros e os colocara na fogueira, mas se mantém impassível, pois conhece aquele modo operatório: Gustave está em constante duelo consigo mesmo, com suas dúvidas, com suas contradições. As realizações de Garabit, Gérone, Maria Pia, Cubzac, Souleuvre e Verdun não passaram de quedas de braço entre Gustave e sua própria audácia. Para aquela torre um dia existir, ela precisa trilhar o mesmo caminho.

No entanto, quando Eiffel pega a maquete e a entrega aos dois engenheiros, Compagnon sente suas certezas balançarem.

– Quadrado demais, tudo isso. Sem mistério, sem encanto. Quero técnica, mas também poesia, por Deus! Estamos aqui para impressionar, mas também para fazer sonhar. Guardem esse pilar e voltem ao trabalho!

Koechlin e Nouguier estão lívidos. Dos gabinetes vizinhos, todos acompanham com olhos cheios de compaixão os dois homens saírem da sala como penitentes, carregando sua obra natimorta.

– Você foi duro demais, Gustave – diz Compagnon, puxando uma cadeira e se deixando cair sobre ela.

Eiffel segue mergulhado nos próprios pensamentos, rabiscando formas e linhas numa grande folha à sua frente.

– Não sou eu que sou duro: é nossa época. A concorrência é brutal. Não podemos ficar para trás. Nosso trabalho não é sonhar!

Compagnon sabe que Gustave não acredita numa só daquelas palavras. Sem seus sonhos, sem suas visões, tantas realizações teriam sido impossíveis. Ele não fora chamado de "poeta do ferro"? Mas Gustave rejeita aquele tipo de coisa.

– O projeto certo é o que sabemos fazer: algo útil, democrático...

– E que sobreviva a nós... – completa Compagnon, que conhece o lema do amigo. – Eu sei, Gustave.

Sabendo que está se repetindo, Gustave sorri. Mas aquela é a única maneira de fixar uma ideia: martelando-a, como duas peças de metal.

– Você se informou? – retoma o engenheiro.

– Sobre o quê?

Eiffel não gosta de interlocutores que percam o fio de suas ideias, mesmo quando ele não as enuncia.

– O metrô, Jean. Estou falando do metrô...

– É complicado. A cidade de Paris e o governo não conseguem entrar em acordo. Cada um segue firme na própria posição e o projeto está parado...

Para Gustave, este não é um obstáculo. Ele já enfrentou cheias, furacões, falésias: não serão controvérsias administrativas que o impedirão de avançar!

– De que autoridade isso depende? Quem comanda o projeto da Exposição Universal?

– O ministro do Comércio.

– Édouard Lockroy? Basta abordá-lo.

Às vezes é Gustave quem parece uma criança. Ele está tão acostumado a Compagnon preparando o terreno...

Eiffel se levanta e caminha até o cabideiro, do outro lado do gabinete. Pela janela, ele contempla a vista por um instante. Apesar da chuva, sua pequena colmeia fervilha. Operários carregam vigas de metal, arquitetos correm de um gabinete a outro, fornecedores chegam tempestuosamente com seus cavalos, como se todos corressem atrás do tempo.

"Sempre estejam um segundo à frente, mesmo dormindo", ele tantas vezes lhes repetira. Nunca se deixem ultrapassar, outro lema entre tantos outros. Seus pobres filhos não aguentam mais aquelas máximas.

"Papai, nos deixe respirar", Claire costuma dizer, sem censura. A doçura não é o forte de seu pai. E ela sabe o quanto ele ama a família, que é sua base, sua rocha. Mas Gustave Eiffel é um homem exigente, acima de tudo consigo mesmo. Por isso ele nunca se deixa abalar. Falar com o ministro do Comércio? Não seja por isso!

Ele tira um jornal do bolso do casaco e o abre sobre a grande escrivaninha, apontando para uma assinatura abaixo de um artigo.

– Ele!

Compagnon coloca os óculos. É um artigo sobre a Exposição Universal, a respeito da qual o autor parece muito informado.

– Ele quem?

– Você não conhece essa assinatura?

Compagnon se aproxima um pouco mais.

– Antoine de Restac? Sim, é um dos colunistas mais em voga no momento.

– Estudamos juntos, em Sainte-Barbe.

Compagnon fica bastante surpreso.

– Vocês se conhecem?

– Não sei se é o mesmo Antoine de Restac, mas este aqui me parece bastante próximo do ministro.

Jean concorda e pega o jornal para ler o artigo com atenção.

– Verdade. Restac sabe tudo antes de todo mundo. Um verdadeiro furão. É temido até o topo do Estado. Deve saber muita coisa sobre muita gente...

Sentindo uma surda inquietação, Compagnon dobra o jornal com precaução e se senta.

– Vocês se conhecem bem? Quero dizer, eram amigos?

Eiffel se vira para a janela. Nas nuvens, ele vê formas que o devolvem a seus anos de juventude. Ele pode dizer que conhece bem Restac. Como conhece bem a gandaia, a loucura estudantil, as noites sem sono.

– Tínhamos o mesmo gosto por mulheres e cerveja.

Com um olhar malicioso, ele passa a língua pelos lábios.

– Fazíamos com que entrassem no internato...
– As mulheres?
Eiffel solta uma gargalhada.
– Não, as mulheres víamos fora dele...
Compagnon não ouve mais nada. O que quer que os dois tenham feito, é de seu total interesse reuni-los. Hoje mais do que nunca.
– Muito bem, vou dar um jeito...

6

Bordeaux, 1859

O almoço estava delicioso e a atmosfera agradavelmente à vontade. Gustave lembrou de alguns jantares em Dijon, quando seus pais o levavam para a casa dos burgueses da cidade. Eram como castigos, em que o jovem se segurava para não bocejar, obrigado a suportar a banalidade de matronas de véu que falavam de bordados e jardinagem. Naquele dia, porém, não havia nada disso. Louis Bourgès gostava de se cercar de jovens, de alegria, e Gustave entendeu que ele abria sua mesa todos os dias, para amigos e próximos. Havia uma boa dúzia de pessoas em torno da grande mesa florida. Bourgès reinava como um senador. Na outra extremidade, sua esposa zelava sobre os convidados com discreta benevolência. Morena, muito arrumada, jovial para sua idade, ela tinha a rigidez compassada das mulheres submissas, mas um olhar que não devia deixar nada ao acaso. Alguns amigos em visita – o casal com que ele cruzara na entrada – pareciam se sentir em casa. E também havia Adrienne, a fada de olhos de gato...

Ela estava sentada na frente de Gustave, mas a mesa era larga e ela conversava com seus vizinhos. Ele tentava capturar seu olhar e ela se divertia em sempre escapar. Enquanto isso, o patriarca conduzia a conversa, lançando assuntos como se lançasse dados num jogo de ludo.

– Parabéns por hoje de manhã, Eiffel – ele disse com autoridade, enquanto os aspargos eram servidos. – Pular no Garonne, com essa correnteza!

O vizinho de Adrienne, um jovem engomado do tipo que Eiffel conhecia bem, soltou um suspiro desdenhoso.

– Não exagere. Nessa estação, a correnteza não é tão forte.

– Eu gostaria de vê-lo fazer o mesmo, Edmond, com seus cabelos engomados – riu Bourgès. – Eiffel não hesitou um segundo sequer em mergulhar!

Repreendido, Edmond corou e se preparou para responder, mas Adrienne não lhe deu tempo.

– O senhor mergulhou no Garonne? – ela perguntou, encarando o engenheiro. – Todos parecem estar a par, menos eu...

A jovem se calou por um momento. E acrescentou:

– Conte tudo...

"Mais um exame...", pensou Eiffel, retesando os músculos. Parecia-lhe mais fácil tirar um homem de um rio gelado do que bancar o valentão diante de uma plateia que esperava ser surpreendida. Ele sentia uma incomum timidez diante daquela jovem que o encarava.

– No canteiro de obras – ele começou, limpando a garganta –, os andaimes estão em falta. Digamos que temos mais operários do que tábuas, que são muito estreitas. E hoje de manhã, um de meus homens caiu na água.

– Um de *seus* homens? – repetiu Adrienne.

Com um tom que ele gostaria menos satisfeito, Eiffel respondeu que era o engenheiro responsável pela construção da passarela metálica.

O rosto dos presentes se iluminou: eles finalmente entendiam. Todos sabiam que Louis Bourgès fornecia madeira à obra, acompanhada com interesse por toda a cidade.

– Um rendilhado de metal – disse o conde com que ele cruzara. – Eu vi a passarela, é prodigiosa.

Uma jovem sentada perto de Adrienne objetou que a achava muito feia.

– É moderna – decidiu Bourgès. – E foi uma escolha do prefeito.

A dona da casa apertou os olhos e observou seu "convidado surpresa" com certa desconfiança. Gustave sentiu a hostilidade daquela mulher, que mascarava seus sentimentos sob as atenções de uma dona da casa.

– Uma grande obra para um jovem engenheiro.

– Não a concebi, senhora. Apenas conduzo as obras.

– E modesto, além do mais! – murmurou Bourgès. – Pauwels me contou que este jovem desenvolveu um método revolucionário a partir de macacos hidráulicos...

Somente Adrienne continuava interessada, devorando Gustave com os olhos. Estava prestes a tomar a palavra, mas sua mãe se adiantou:

– Os primeiros aspargos da estação. Roxos.

Ouviram-se murmúrios de satisfação, enquanto todos se serviam.

– Muito bem, conte tudo! – insistiu Adrienne, como se eles fossem os únicos à mesa.

A senhora Bourgès fez menção de interrompê-la, mas seu marido lhe fez um sinal severo. Virou-se para Eiffel e lhe passou a palavra.

– É um sistema muito simples – Gustave começou, com mais segurança. – Ele permite fixar os pés da ponte no leito do rio, de modo a torná-la perfeitamente firme e estável apesar da leveza da estrutura metálica.

A atenção dos presentes foi imediatamente perdida. Adrienne veio a seu socorro.

– Então o senhor é engenheiro?

– Sim.

– Sabe construir tudo?

– Tudo não, mas muita coisa...

Impaciente, Edmond aproveitou a brecha para perguntar, num tom zombeteiro:

– E onde o senhor aprendeu a nadar?

A pergunta acordou os demais.

– No colégio Sainte-Barbe, em Paris.

– O que estudava?

– Fazia o preparatório para a Politécnica. Mas acabei indo para a Escola Central de Engenharia...

Irritado com aquela prestação de contas, Edmond contra-atacou com ironia:

– A Central estava em busca de bons nadadores, então?

Em outra época, aquilo teria deixado Gustave irritado. Mas Adrienne parecia beber todas as suas palavras e ele não quis fazer feio diante de Edmond.

– Para dizer a verdade, fui mal na prova de primeiros socorros. O homem que eu devia salvar se afogou e morreu...

Os presentes se retesaram, sem entender aonde o jovem queria chegar. Bourgès franziu o cenho.

– Felizmente, os avaliadores me viram no trampolim: eu estava com os braços bem alinhados, então fui aceito...

Agora, o mal-estar era palpável. A senhora Bourgès havia perdido o sorriso e seu marido comia os aspargos, atento à reação dos demais.

O silêncio tornou a risada de Adrienne ainda mais incisiva. Uma cascata de cristal que desanuviou a atmosfera. O próprio Gustave se sentiu como um acrobata que perde o equilíbrio.

– Muito engraçado – disse Bourgès, engolindo dois aspargos numa garfada. – Nosso engenheiro é espirituoso.

– E além disso consegue calar Edmond – acrescentou Adrienne olhando para o vizinho, visivelmente injuriado. – Uma coisa é certa: o senhor é de fato o herói do dia!

Sabendo ter vencido a batalha, Gustave deixou as risadas cessarem e tirou proveito de seu – brevíssimo – prestígio:

– Senhor Bourgès, os andaimes não são largos o suficiente. Foi por isso que o operário caiu. Precisamos mesmo de mais madeira...

– Papai, ouviu isso? – interveio Adrienne. – Se um pouco de madeira pode salvar vidas, o senhor também pode se tornar um herói.

Jovial, Bourgès assentiu, com as bochechas cheias de comida. E todos pareceram satisfeitos com aquela boa ação que lhe custava tão pouco.

Gustave, por sua vez, só tinha olhos para Adrienne.

7

Paris, 1886

Nada como as amizades estudantis. Elas escapam à inveja, aos rancores e às feridas da idade adulta. Apesar da passagem do tempo, elas conservam o frescor que as relações de uma vida respeitável nunca terão. Quando ainda somos uma tela em branco, aceitamos tudo. Queremos nos conhecer, conhecer o outro, os outros, e o caminho percorrido nos abre um leque de possibilidades, pois nada parece proibido. Temos a desculpa da pouca idade, da inexperiência, e tiramos proveito delas. No quesito aproveitar, Antoine e Gustave haviam bebido até o fim do cálice do prazer. Mas os dois eram estudiosos. Entrar na Escola Politécnica, no início dos anos 1850, não constituía tarefa fácil. Os postulantes à prestigiosa escola vinham de toda a França e a concorrência era feroz. Sainte-Barbe não era a melhor das escolas preparatórias, mas havia aceitado o jovem dijonês recém-saído da barra da saia da mãe, aos 18 anos. Ah, o orgulho de sua família nas ruas da capital da Borgonha.

"Gustave vai para Paris! ", dizia sua mãe. "Para a Politécnica!"

"Ele está *estudando* para a Politécnica", corrigia seu pai.

Mas os comerciantes do mercado e os vinicultores entendiam a diferença? Eles estavam dispostos a acreditar no senhor e na senhora Eiffel, que todos respeitavam. Ela era considerada "o homem da casa", aliás, pois era uma ousada negociante de carvão que construíra um verdadeiro pequeno império. O pai havia participado do exército napoleônico, onde aprendera a arte de obedecer: sua mulher se tornara seu imperador. Gustave herdara o respeito pelo trabalho bem feito, pela palavra dada, pelo esforço; e uma arraigada ambição, ainda mais forte porque vinda de sua mãe, numa época em que as mulheres costumavam ser relegadas à cozinha e ao salão. Uma única coisa incomodava os dijoneses: o sobrenome da família. Todos sabiam que embora se fizessem chamar de Eiffel, eles eram Bonickhausen. E por mais que vivessem na França havia um século, eles vinham da Renânia, da região de Eifel. Eles não eram exatamente como os outros. Havia uma diferença.

Dessa diferença, os Bonickhausen-ditos-Eiffel haviam feito uma força. O que distinguia tornava mais forte – "comprometia" –, e o pai sabia que um dia oficializaria sua mudança de nome. Por isso eles se comportavam como pessoas acima de qualquer suspeita, de qualquer ataque. Por isso o sucesso escolar do pequeno Gustave era mais uma prova de excelência e integração. Ele precisava ser mais que francês.

Podia-se falar em excelência? Considerando as coisas a partir de Dijon, sem dúvida. Gustave se dedicava com afinco para a Politécnica, mas as noites passadas com o amigo Antoine nas tabernas da montanha Sainte-Geneviève eram menos estudiosas! Quanto ele terá dormido durante aqueles dois anos? Ele seria incapaz de dizer. As únicas lembranças que tinha eram de despertares enevoados em lençóis pegajosos ao lado de lindas cabeleiras que cobriam rostos juvenis que não lhe diziam nada. Na época, eles esvaziavam cervejas e devoravam garotas, ou vice-versa! Viviam com alegria, loucura, juventude, num mundo de possibilidades.

Ele havia sido mantido sob rédea curta por dezoito anos, vivia o momento de fazer bobagens. E Antoine de Restac, colega conhecido na chegada ao internato, seria o companheiro de suas noitadas.

Mas os folguedos haviam desferido um duro golpe em seus ideais. De tanto voar de flor em flor, acabamos nos gastando e nos perdendo. Até a queda. Os pais de Gustave não acreditaram no filho quando ele anunciou que não havia passado na Politécnica.

— Passei na prova escrita, mas não na prova oral...

Ele não dissera que, na véspera das provas, passara a noite em claro entre as coxas de Camille, jovem graciosa encontrada na Place de la Contrescarpe, que precisara colocá-lo na rua para ele não perder seu compromisso.

— Mas passei na Escola Central...

Os pais não quiseram nem saber. Para eles, a Escola Central de Artes e Manufaturas não significava nada. A decepção foi proporcional à expectativa. Além do mais, o que eles diriam aos vizinhos, à família, aos comerciantes? Como o pequeno Gustave pudera fazer aquilo com eles?

O rigor de Eiffel teria nascido naquele dia? Sua retidão e sua rigidez teriam vindo da sombra que toldara o olhar de sua mãe? Uma sombra que levaria anos para se dissipar. Seriam necessárias muitas pontes, estruturas e passarelas para que Catherine Eiffel deixasse de considerar Gustave um preguiçoso. Mesmo nas inaugurações, quando era parabenizada pelo trabalho do filho, ela murmurava: "Sim, sim, ele é bastante talentoso. Mas se tivesse ido para a Politécnica...".

Gustave não dizia nada, ferido pela mágoa da mãe, mas consciente de que a culpa era sua.

— Então sua mãe não o perdoou?

Antoine de Restac não consegue acreditar. Faz uma hora que Gustave lhe conta sua vida desde que eles se despediram ao sair de Sainte-Barbe, e ele fica surpreso com a severidade daquela mulher.

— Eu não era mais a criança que ela havia conhecido...

Restac assobia. Na taberna, o ar é irrespirável. Os dois homens mal conseguem se enxergar sob a fumaça dos cachimbos, as névoas do álcool e as pessoas que se esbarram, cambaleiam, chamam os garçons, bradam que estão com sede, fome, com vontade de uma coxa de frango, de uma carne assada, de uma mulher.

Eles não frequentavam aquele lugar desde 1852!

– Trinta e cinco anos, você se dá conta? – diz Gustave, olhando em volta.

– Esse lugar não mudou nada – responde Restac, esvaziando a quinta caneca de cerveja morna mas cheia de recordações.

– Verdade: *nós* é que mudamos.

Eiffel passa a mão bela barba grisalha:

– Há trinta e cinco anos, éramos os mais jovens da taberna, lembre-se. Hoje...

Num gesto instintivo, Antoine de Restac coloca a palma da mão no topo da cabeça: começou a perder os cabelos há alguns anos.

– Hoje, somos os decanos.

Nas mesas vizinhas, alguns estudantes olham para eles com olhar zombeteiro.

– Então, senhores, aproveitando?

– Querem uma emprestada? – oferece um dos jovens, apontando para uma senhorita sentada sobre seus joelhos.

A mulher – ruiva, oferecida, com o peito quase todo descoberto – examina os quinquagenários de alto a baixo e diz, com avidez:

– Não digo não. É como o vinho: quanto mais velho, melhor...

A mesa explode numa gargalhada e os dois "anciãos" olham um para o outro e encolhem os ombros. Eles não faziam a mesma coisa na juventude? Eram os primeiros anos do Segundo Império, Napoleão III estava no comando, Haussmann ainda não desventrara Paris, mas o espírito era o mesmo. A embriaguez transcende o tempo, eterna. Napoleão III ou o general Boulanger: cada época tem seus ídolos e seus bodes expiatórios. Os estudantes continuam sendo estudantes e só se preocupam consigo mesmos, com suas liberdades e prazeres.

— E você, Antoine? O que fez nos últimos trinta e cinco anos?

Restac se recosta na cadeira e se torna evasivo, soltando a fumaça de um grande charuto.

— Não me tornei uma celebridade como você. Nasci preguiçoso e assim continuei.

— Boa definição de jornalismo.

A observação faz Restac sorrir, mas ele volta à seriedade.

— Minha família tinha dinheiro demais, confortos demais. Não precisei lutar. Escolhi o caminho mais fácil. Com minhas relações, minha aparência, minhas boas maneiras, frequento salões e ministérios há tantos anos que sou o homem mais bem informado de Paris. A bem da verdade, minha mulher é a única que continua um mistério para mim...

— Você é casado?

— Parece surpreso. Sim, sou casado. E há bastante tempo, inclusive.

— E tem quantos filhos?

O rosto de Restac se fecha diante da pergunta do amigo. Ele morde os lábios e faz um gesto para o garçom, para que lhes traga mais duas cervejas.

— Você tem quantos? — ele pergunta, sem responder à pergunta de Gustave.

— Quatro...

Restac faz uma careta. Eiffel vê a sombra fugidia de uma inveja feroz, imediatamente reprimida por um olhar triste e resignado.

— Deve ser bom, quatro filhos. E a mãe das crianças?

É a vez de Eiffel franzir o cenho. Restac vê o amigo empalidecer.

— Marguerite morreu há nove anos...

Longo silêncio. Os dois se sentem desconfortáveis. Desconfortáveis com aquele momento de suspensão, em que sentiram inveja e ciúme do outro, até que ambos entenderam que cada um carregava sua própria cruz.

Para romper o gelo, Restac bateu o punho na mesa.

– Trinta e cinco anos, meu velho Gustave. Trinta e cinco.

– E sempre com espuma demais – ri Eiffel, esvaziando a cerveja que o garçom acabara de trazer.

Nova gargalhada à mesa vizinha, onde os jovens cantavam em coro *En revenant d'la revue*.

Gustave pousa a caneca na mesa, o olhar vítreo. A cerveja o devolve à realidade. Ele não está ali para despertar fantasmas ou reviver a juventude. Ele é Gustave Eiffel, o brilhante fundador dos Empreendimentos Eiffel, e não é por acaso que decidiu rever o jornalista Antoine de Restac.

– Você conhece Édouard Lockroy?

Restac fica surpreso com a pergunta e pelo tom inquisidor do antigo colega.

– O ministro do Comércio? Sim, conheço. Muito bem, inclusive.

– Ótimo...

– Por que a pergunta?

– Preciso conhecê-lo. O mais rápido possível...

8

Bordeaux, 1859

O prestígio do jovem Eiffel logo se dissipou. Assim que a refeição chegou ao fim, os convidados foram para o jardim e ele se viu excluído. Bourgès falava com a esposa, o conde pegava o braço da condessa, Edmond cochichava no ouvido de uma jovem, que ria com temor. Até mesmo Adrienne voltara a ser a filha da casa, com um sorriso para cada convidado, desempenhando seu papel com a perfeição da educação e do hábito.

Eiffel não se surpreendeu. Ele conhecia aquela casta. Em Dijon, preferia visitar os velhos aristocratas, a classe decaída que havia conservado a cortesia herdada dos tempos antigos. Os burgueses pareciam tão desejosos de demarcar seu território que se tornavam grosseiros, sem tato e ainda mais desdenhosos, para que ninguém se lembrasse que seus antepassados vinham do nada.

Gustave sabia que sua missão se encerrava ali. No fim, conseguira cumpri-la: Bourgès lhe forneceria mais madeira.

Mas Gustave ficou desapontado com Adrienne. Para ela, ele já não existia, fora reduzido à sua condição de fornecedor.

"Uma volúvel, como todas as outras...", ele pensou consigo mesmo, fazendo um gesto discreto a Bourgès, de longe.

Ocupado em conversar com a condessa, o dono da casa não se deu ao trabalho de ir se despedir do "convidado surpresa". Esboçou um simples aceno com a cabeça e voltou ao que fazia. O engenheiro fora dispensado.

Contrariado, Gustave girou nos calcanhares. Os convidados o esnobavam com tanta obstinação que nem notaram o vulto que se aproximava da saída do jardim.

Quando ele chegou ao portão, ouviu passos apressados no cascalho.

– Está indo embora?

Adrienne estava sem fôlego.

– Preciso voltar às obras.

Ela pareceu surpresa com seu tom cortante. Por que aquela súbita hostilidade? Ele nem se dera ao trabalho de se despedir. Ofendida, ela o provocou:

– Sim, claro, esqueço que algumas pessoas precisam trabalhar.

Sua frase, dita com desdém, perdeu a ferocidade. Adrienne fora teatral demais.

Quando sua mão tocou a de Eiffel, o engenheiro estremeceu.

– O senhor virá para meu aniversário?

Gustave não esperava por essa! Desarmado, respondeu que não sabia.

– Não se preocupe, o senhor não ficará perdido, teremos madeira e metal.

Eiffel conteve um riso nervoso diante do absurdo daquela observação.

– As mesas e os talheres?

– Entre outros, sim.

– Nesse caso, virei.

A alegria de Adrienne não tinha nada de fingida.

– Domingo, às quatro horas da tarde?

– Edmond virá? – perguntou Gustave, com um sorriso incisivo.

A jovem respondeu, evasiva:

– Edmond? Não sei de quem está falando...

Gustave sentiu uma vontade tão grande de pousar um beijo em sua bochecha que se obrigou a atravessar o portão.

– Até domingo, Adrienne.

Enquanto ele girava nos calcanhares, ela o ultrapassou rapidamente e se colocou à sua frente. Ela havia perdido a leveza e se tornara quase assustadora.

– Eu estava lá, hoje de manhã.

Gustave não entendeu.

– Onde?

– Eu estava passando pela margem oposta. Foi para mim que seu operário assobiou antes de cair na água. Vi-o salvar aquele homem.

Depois, sem dizer mais nada, correu na direção de seus convidados.

9

Paris, 1886

— Tudo certo, Restac vai organizar um encontro com Lockroy.
— Uma entrevista? – pergunta Compagnon.
— Melhor ainda: um jantar. Amanhã à noite...
O sócio mal consegue disfarçar a excitação.
— Acalme-se, Jean. Está fazendo a mesa tremer...
Eiffel não levanta a cabeça. Como sempre, assina página após página, validando faturas, encomendas, entregas, plantas, borderôs. Ele acelera o ritmo, para se livrar daquela tarefa ingrata.
— Devagar, Gustave. Sua assinatura se torna ilegível.
Depois da última folha, o arquiteto se atira para trás, como se fugisse. Compagnon finalmente enxerga seu rosto: vincado, contraído, os olhos injetados de sangue.
— É o dia que está ilegível...
Ele mergulha o lenço num copo d'água e massageia as têmporas. Compagnon poucas vezes o viu naquele estado.
— Comemorou demais o reencontro com Restac? O jantar foi até tarde?

– O jantar? A noite, você quer dizer! Não tenho mais 20 anos. Deveriam proibir a entrada de velhos como eu em tabernas. Aos 54 anos, passei da idade...

Jean ri com vontade, mas a tez de seu sócio continua acinzentada.

Vendo um dos últimos a entrar na empresa – um jovem fogoso, mas desajeitado, que está sempre rondando seu gabinete –, Eiffel o chamou com um sinal.

– Novato! Me traga um pouco de bicarbonato!

O "novato" fica vermelho e murmura: "Claro, senhor Eiffel" e se dirige à farmácia da empresa.

Enquanto isso, Claire entra na sala e se senta na frente do pai.

– Papai, preciso falar com o senhor...

Seu pai – cuja enxaqueca reclama ao menor movimento – murmura em voz fraca:

– Sim, já sei, você quer se casar...

Aliviada, Claire dá uma piscada para Compagnon, que também se senta. Eiffel não nota nada, ocupado em massagear as têmporas, com as pálpebras fechadas e grunhidos de velho felino.

– Casar... Ainda não sabemos com quem, aliás...

Ao abrir os olhos, ele leva um susto. O "novato" está à sua frente, segurando uma bandeja com um copo e uma garrafa, fazendo o engenheiro pensar num lacaio. O sujeito fica ainda mais constrangido, pois o momento se prolonga num silêncio embaraçoso.

– Quem é o feliz eleito, Claire? – ele acaba insistindo.

– Adolphe.

Claire respondeu com tanta franqueza que Eiffel ficou desnorteado.

– Adolphe? Não conheço nenhum Adolphe...

Compagnon contém uma gargalhada, pois o novato não se mexe, paralisado em sua posição.

– Adolphe Salles – retoma Claire, estalando os dedos na frente do rosto do pai, para acordá-lo.

Gustave passa da apatia à irritação.

— Não sei quem é Adolphe Salles. Que nome difícil: senhora Salles...

Compagnon precisa morder os lábios para não rir. Enquanto isso, Gustave repete "senhora Salles" em todos os tons, com voz de falsete.

— Pare, papai...

Eiffel conhece a filha. Apesar de sua doçura, ela pode virar uma leoa. Mas não é para ele que ela olha, e sim para o infeliz novato, que tem o rosto como um pimentão, que continua na mesma posição.

Eiffel nota sua presença, pega o copo de bicarbonato e o esvazia de uma só vez, depois faz um movimento com o queixo na direção do novato.

— Por que ele continua aqui?

— É ele, papai...

— Ele quem?

Aquele dia está realmente complicado. Embora todos queiram brincar de charadas, Eiffel prefere voltar para a cama!

— Ele — insiste Claire, apontando para o novato.

Eiffel ergue a cabeça na direção do jovem funcionário.

— Quem é o senhor, em primeiro lugar?

— Adolphe?

— Ah, o senhor também? Ora essa, todos se chamam Adolphe, hoje...

A cena se torna absurda. Eiffel finalmente entende o quiproquó.

— O novato? — ele diz, encarando Adolphe Salles. — Você quer se casar com o novato? Mas... por quê?

A pergunta, tão sincera, tão desarmante, deixa todos mudos. Claire volta ao tom materno, que sempre funciona com seu pai.

— Papai, se eu tivesse dito que estava apaixonado por alguém, você o teria contratado para testá-lo, não é mesmo?

— Claro — confirma Compagnon.

— Então, veja bem, ganhamos tempo. Adolphe está trabalhando para você há sete meses...

Gustave Eiffel fica desconcertado.

— Ela é demoníaca...

Diante dessa observação, Adolphe não consegue conter um sorriso e Gustave lhe dá um tapinha que faz a bandeja oscilar.

— O senhor vai se casar com o diabo, sabia disso?

Depois de um momento de silêncio, como se ninguém ousasse quebrá-lo, todos caem na gargalhada. Quem é de fato aquele Adolphe? De onde ele vem? O que fazem seus pais? E, o mais importante de tudo, será ele um bom marido? Eiffel terá tempo de conhecê-lo melhor. Pois quando Claire *realmente* quer alguma coisa, ele só pode aceitar: nisso, ela é mesmo filha de seu pai. O engenheiro bate palmas.

— O novato.... meu genro... Como vocês quiserem. O senhor sabe onde está o conhaque?

— Sim, chefe...

— E ele me chama de chefe! Então vá buscá-lo, e traga mais três copos, precisamos brindar, não?

Claire caminha até o pai e o abraça com força, beijando suas bochechas como uma garotinha.

— Ela quer me sufocar! Terá feito de tudo, hoje. Preciso estar apresentável amanhã à noite no Ministério, ao menos.

Depois, com os olhos úmidos, ele repete como uma canção:

— Senhora Salles... Claire Salles... Soa um tanto estranho...

10

Bordeaux, 1859

Gustave demorou para encontrar a estufa. Ela ficava do outro lado do jardim, depois do pomar, na orla de um pequeno bosque que parecia estranhamente profundo, como o início de uma floresta. Cerca de cinquenta jovens riam, dançavam, se afastavam para murmurar segredos, bebiam taças de champanhe, devoravam bolinhos que os criados traziam em bandejas. E tudo isso ao som de um piano que fora colocado no meio da grama. A maioria dos convidados já estava presente e Gustave se arrependeu de não ter sido pontual.

– Eiffel! – gritou Adrienne com intimidade, ofegante por ter dançado, caminhando na sua direção.

Alguns convidados viraram a cabeça, surpresos por não reconhecerem aquele rosto, mas logo voltaram a suas conversas.

A jovem pegou uma taça de uma bandeja que passava e a estendeu a Gustave.

– Esperei-o mais cedo, sr. engenheiro.

Eiffel esboçou uma careta. Ele não dominava os códigos daquele mundo. Adrienne notou seu incômodo e o tranquilizou.

— Eu estava brincando, Gustave. É uma festa. O senhor está livre.

— Livre para trabalhar — ele respondeu, irritado com sua própria rigidez. — Passei pela obra antes de vir para cá.

Adrienne ficou sinceramente surpresa.

— No domingo?

— Precisou salvar um afogado, sem dúvida — disse uma voz que se aproximava.

Gustave reconheceu Edmond, que buscava sua revanche. Ele corria o risco de consegui-la, mas Adrienne começou a rir e pegou um homem por cada braço.

— Gustave, Edmond, hoje é dia de trégua — ela disse, conduzindo-os para um suntuoso bufê.

Eiffel raras vezes vira uma tamanha profusão de guloseimas, que ninguém tocava, como se aquela comida toda fosse parte da decoração.

De longe, ele avistou Bourgès conversando com um casal de idosos. O burguês viu "seu" engenheiro e apertou os olhos para identificá-lo, mas não conseguiu, deu de ombros e voltou à conversa.

Aquela memória curta beneficiava Gustave: ele estava ali apenas por Adrienne.

De repente, a música parou de tocar e todos se olharam. Quando a pianista começou com toda força o galope do *Orfeu no inferno*, a festa pareceu incendiar! Adrienne agarrou a manga de Eiffel e o puxou com tanta força que ele quase tomou um banho de champanhe.

— Vem!

Aquela intimidade o excitou.

Quinze jovens giravam rapidamente em torno de um círculo de cadeiras vazias. Gustave reconheceu a dança das cadeiras. Mas ele não pensava que adultos pudessem fazer aquelas coisas! Sem perder Adrienne de vista, ele entrou na brincadeira; eles quase se tocavam.

Quando a música parou, todos correram para uma cadeira. Gustave se viu encostado a Adrienne, que ria com vontade. Um único jovem estava de pé, triste e magoado.

– Perdeu! – gritou Adrienne antes que todos se levantassem e uma cadeira fosse retirada.

Quanto tempo durou aquilo? Gustave se deixou levar, aproveitando a atmosfera pueril e alegre. Fazia anos que ele não se sentia tão leve. Em outra época, ele teria ido embora. Mas Adrienne estava ali. Ela era a alma daquele dia e parecia uma fada dando vida a personagens saídos de sua varinha mágica. Todos aqueles jovens arrumados e lustrosos pareciam autômatos, figuras de cera, como o invejoso Edmond, que não parava de observar Gustave. Adrienne tinha um séquito, como outras tinham bonecas; um séquito que ela inflamava com um olhar, uma gargalhada. Gustave se sentia disposto a aceitar as estranhas regras de um mundo que não era o seu e no qual entrava pela porta de serviço. Mas não era assim que as coisas aconteciam? Um dia, subimos um degrau; pouco importa como chegamos a ele, pois lá do alto a vista é tão bonita que os sofrimentos da ascensão são esquecidos. Eiffel não pensava nisso; ele girava, dançava, corria, disposto a manter-se sempre perto de Adrienne. Quando ela se atirava numa cadeira, ele escolhia a cadeira vizinha; quando ela tropeçava, ele a agarrava; quando ela perdia algo, uma fita, um lenço, ele o encontrava, sem sair da brincadeira.

Cada gesto se tornava uma carícia. Como se aquela corrida um pouco ridícula fosse a porta para um jardim muito mais perfumado, muito mais misterioso do que aquele grande jardim burguês. Ele se sentia o único convidado daquele aniversário, como se Adrienne só tivesse olhos para ele. Olhos felinos, a pele doce, que ele roçava nos solavancos da brincadeira, um sorriso estranho, às vezes assustador, que lembrava a medusa. E também o corpo jovem, esguio, coroado por uma cabeleira de ébano que lembrava a de uma fada.

"Ou de uma bruxa", ele pensou, atirando-se numa cadeira.

Fazia quanto tempo que ele não se sentia tão fascinado por uma mulher? Eiffel trabalhava tanto, incansavelmente. Ele sentia reencontrar, pela duração de uma festa, a juventude que os estudos lhe haviam roubado. E não seriam as noites de festa com Restac que poderiam se comparar àquela pureza celestial. De repente, Adrienne se tornava incomparável. Ela se tornava a única.

Quando o grupo se tornou menor, eles foram obrigados a se atirar na mesma cadeira. Gustave sentiu sua timidez voltar e recuou para deixar Adrienne ganhar.

– Chegamos juntos, Gustave. Fique...

De novo, ela o tratava com mais distância. Seria o fim do sonho?

Vencido, o engenheiro deu três passos para trás e se inclinou, como um dançarino ao fim da valsa. Por um segundo, seus olhares se cruzaram, como se ela lhe suplicasse para não se afastar, depois foi sorvida pelo turbilhão. Sua risada pareceu ainda mais agradável, seu rosto ainda mais bonito, sua silhueta ainda mais luminosa.

Offenbach continuava sua ronda diabólica e Gustave chegou ao bufê, onde deu de cara com Bourgès. Devorando uma torta de limão que o deixava todo lambuzado, o burguês reconheceu o engenheiro.

– Ora, é Eiffel!

– Festa encantadora.

– Fico contente em vê-lo. Nenhuma competição de natação hoje?

O humor daquela gente, realmente!

– Nos domingos, costumo pescar – ele disse, pegando um pedaço de torta, fazendo o gesto de quem lança o anzol.

Bourgès sorriu, depois se afastou murmurando:

– Divirta-se, meu jovem. Aproveite.

"Pois para mim não vai durar...", completou Eiffel, vendo aquele corpanzil se dirigir a outros convidados, na seção do gramado reservada aos "parentes". A senhora Bourgès reconheceu o jovem engenheiro. Sem tirar os olhos dele, deve ter cochichado ao marido: "Você o convidou?".

Bourgès encolheu os ombros, sem dúvida respondendo: "Não. Mais uma fantasia de Adrienne...".

– Baunilha, pistache ou chocolate?

Com o rosto suado – as gotículas em sua testa eram deliciosas –, Adrienne estendia a Gustave três sorvetes.

– Não, obrigado – ele respondeu, voltando a se sentir constrangido.

– Não gosta de sorvete?

– Não muito...

Depois de um rápido olhar para os convidados, Adrienne atirou os três sorvetes num balde de champanhe e conteve uma gargalhada. Depois, pegou seu braço.

– Um homem que não gosta de sorvete... Como o senhor é sério.

– Isso a incomoda?

– Nem um pouco – ela disse, arrastando-o para longe da comida.

Gustave se deteve, mas Adrienne apertou seu braço.

– Está com medo de mim?

Eiffel se forçou a sorrir, mas não deixou de verificar os arredores. Algo lhe dizia que não deveria estar ali; aquele não era seu mundo, aquela não era sua vida. Mas o rosto de Adrienne era tão bonito, tão suplicante.

– Não, não tenho medo – ele respondeu, seguindo a jovem.
– Você sabe muito bem que sei nadar.

Adrienne começou a rir. A fada estava de volta.

– Venha, vamos caminhar um pouco, está quente demais aqui.

11

Paris, 1886

Antoine de Restac estremece, depois espirra. O eco penetra as árvores do jardim, como se sumisse numa floresta. Não é o momento de ficar doente! Faz vinte minutos que ele anda de um lado para o outro na entrada do Ministério do Comércio. Ele mexeu mil pauzinhos para organizar aquele jantar de última hora, utilizando todos os seus contatos nos bastidores políticos parisienses. Tudo para cumprir uma promessa de bêbado, depois de três litros de cerveja. Ninguém deveria ser fiel à sua juventude!

Uma sombra de casaca e cartola surge da penumbra.

Antoine reconhece Gustave.

– Finalmente!

– Desculpe o atraso, as crianças se recusavam a ir para a cama...

A desculpa irrita Restac, mas ele fica aliviado demais para repreender o velho amigo.

– Você me assustou, Gustave. O ministro já desceu de seus aposentos. Está com o chefe de gabinete. Isso é bom para nós. Muito bom, aliás!

Gustave sobe os degraus de dois em dois e lhe dá um caloroso aperto de mão.

– Bebemos demais, na outra noite...

– Não precisa me dizer – suspira Restac. – E hoje, está com medo?

– Nunca. E você?

O rosto de Antoine se ilumina.

– Este é meu momento preferido: aquele que precede o encontro.

– Então vamos! – diz Gustave, tomando a dianteira no hall do Ministério.

O salão é amplo mas agradável, iluminado a velas, decorado com móveis calorosos que a luz de uma grande lareira torna amarelados.

Ao vê-los, Édouard Lockroy caminha até eles, afável e bonachão. Seu bigode branco combina com seu sorriso. Ele coloca as mãos nos ombros de Gustave.

– Eiffel! Finalmente nos conhecemos.

– Senhor ministro – responde Gustave, um pouco sem jeito, pois não estava esperando tanta familiaridade tão cedo.

Lockroy passa o braço por seu ombro e assume um tom conspirador.

– O ministro do Exército me falou de suas pontes desmontáveis em termos muito elogiosos. Elas são preciosas na Indochina, o senhor sabia?

Gustave se prepara para responder, mas o ministro o solta e se dirige a outro convidado que acaba de chegar. A vida mundana...

Restac segue a cena com olhar irônico.

– Bem-vindo ao segredo dos príncipes – ele murmura ao ouvido do amigo, pegando-o pelo braço. – Venha, vou apresentá-lo a todo mundo.

Um a um, Eiffel tenta memorizar os nomes de todos aqueles senhores idênticos, vestidos da mesma maneira, com a mesma barba, as mesmas condecorações, as mesmas esposas, ranzinzas e emperiquitadas. Mas Gustave precisa entrar no jogo e ele conhece as regras. Quando Charles Bérard, o diretor de gabinete de Lockroy, lhe diz "Ah, o mago do ferro", Eiffel inclina a cabeça com humildade.

Ele avista seu próprio reflexo no grande espelho do salão e constata ter a mesma aparência, o mesmo porte e a mesma barba que os outros convivas. Como se destacar se tudo se perde no mimetismo mundano? A juventude sempre fica para trás...

– E aqui está minha mulher.

Eiffel está tão mergulhado no reflexo do espelho que não vira a cabeça. Sob seus olhos, no espelho, uma silhueta acaba de surgir. Um fantasma. Por que naquela noite? Por que naquele momento? O engenheiro mobiliza toda a sua lucidez. Mas o espectro continua ali, prisioneiro do espelho, como as fotografias vendidas nos bulevares, de burgueses cercados de ectoplasmas translúcidos.

Gustave precisa se arrancar daquela visão e se agarrar ao rosto de Restac para não afundar.

– O que você disse, Antoine?

– Quero apresentar-lhe minha esposa, Adrienne.

Então tudo oscila de novo, pois a miragem ganha vida. A sombra sai do espelho e surge à sua frente. Uma sombra que o fixa com um constrangimento perceptível apenas para ele, que luta contra o estupor. Os dois ficam frente a frente por um bom tempo. Antoine de Restac está ocupado examinando o salão, identificando os figurões. Qualquer outra pessoa teria estranhado a cena: no centro da colmeia, duas abelhas se transformam em estátua, como os moradores de Pompeia, petrificados em pleno movimento.

Gustave Eiffel não consegue articular uma palavra, Adrienne de Restac tampouco. Os dois têm os lábios trêmulos, os olhos brilhantes, os músculos pesados, doloridos. Ela acaba estendendo uma mão enluvada, que ele toca sem jeito. Ele a vê contrair o rosto, pois seus dedos tocam os seus, como se tocasse a mão de um operário.

– A mesa está servida, senhor ministro!

A voz os devolve ao presente. Gustave solta a mão de Adrienne como um ferro em brasa e desvia bruscamente o olhar. Ele dá de cara com Lockroy, que passa o braço pelo seu.

– É um prazer tê-lo sob meu teto, meu caro. Espero que goste de lagostim!

Adrienne de Restac continua imóvel.

Seu marido se aproxima e precisa sacudi-la para tirá-la de seu torpor.

– Não está com fome?

– Sim, sim...

12

Bordeaux, 1859

    Adrienne e Gustave caminharam juntos por um bom tempo, em silêncio. A música do piano logo foi encoberta pelo canto dos pássaros, pelos sons da floresta, pelos murmúrios dos arbustos e pelas lufadas de um vento morno que acariciava as árvores. Gustave se sentia melhor. Sempre preferira os encontros a sós. Gostava de viver em grupo apenas no trabalho. Dirigir um canteiro de obras, dar ordens, decidir, escolher: ele sabia fazê-lo. Mas quando as coisas se tornavam pessoais, íntimas, Eiffel ficava sem jeito e o pudor voltava à tona.

— Você está muito silencioso.

— Eu poderia dizer o mesmo de você.

— Sou uma mulher, falo com as coisas — ela disse, enigmática. — Não preciso de palavras.

— Porque os homens são incapazes de entendê-las?

Adrienne parou e se recostou no tronco de um grande pinheiro, erguendo o rosto para os galhos mais altos.

— Edmond, por exemplo: considera-o capaz de compreender a poesia deste lugar?

— Edmond não é um homem, ele é um tolo.

Adrienne sorriu, mas franziu o cenho, curiosa para ver até onde Gustave se sentiria à vontade.

— Você fala com franqueza. E meu pai? Considera meu pai um homem poético?

— Nada poético — começou Eiffel, cada vez mais inseguro —, mas rico.

Adrienne se retesou e uma sombra passou por seu rosto, que logo voltou a sorrir. Gustave começou a se sentir incomodado, como se aquela caminhada na floresta fosse uma armadilha. Quando Adrienne recuperou a leveza, sua angústia se dissipou. Que mulher curiosa! E que dia estranho...

— Tem razão, o dinheiro macula tudo... Se eu pudesse, viveria sem ele.

Gustave evitou qualquer comentário que pudesse soar inadequado ou ser mal recebido. Ele não conhecia Adrienne o suficiente e avançava às cegas. Os dois se sentaram na base do pinheiro, ombro contra ombro, sentados na grama macia com cheiro de primavera e vida.

— Tome — ele disse, tirando um pacote do bolso interno do paletó.

Adrienne o pegou com curiosidade.

— Certo, afinal é meu aniversário — ela disse, puxando a fita de seda.

Ao descobrir um livro técnico de engenharia, ela não disfarçou a surpresa.

— Teria preferido um leque? Ou um lenço?

Sem tirar os olhos do livro, Adrienne abriu-o e começou a cortar as páginas com a ponta de um grampo tirado dos cabelos. Depois repetiu "ou um lenço...".

Ela manipulou o livro demoradamente, como um porta-joias cujo conteúdo não ousasse revelar. Depois leu a primeira página, com o cenho franzido e uma ruga encantadora no canto dos lábios a cada novo conceito encontrado.

Gustave estava no céu. Aquele era o momento que ele imaginara desde a manhã, enquanto se preparava para aquela festa onde não era esperado por ninguém além daquela jovem com quem convivera por um almoço. E agora, finalmente, Adrienne estava ali com ele, para ele. Vê-la penar com aquele capítulo, tentar entendê-lo com um esforço sincero, valia todas as valsas do mundo. Ou melhor: era ainda melhor e mais raro que um beijo. Pois era algo só deles, como a luz que passava pelas folhas, como o pássaro que pousara logo acima deles, no primeiro galho da árvore, e cantava a alegria de reencontrá-lo.

– Adorei seu presente – Adrienne disse finalmente, colocando o livro sobre a grama, inebriada com aquelas palavras tão estranhas.

– Mesmo?

– É diferente de todos os outros presentes. Como você.

– Como eu?

– Sim. Você é... diferente...

Ele sentiu uma flechada no coração.

Com um movimento brusco e quase infantil, Adrienne se inclinou em sua direção e pousou um beijo em seu rosto.

Gustave ficou paralisado. De repente, o pássaro cantou mais alto, as árvores ronronaram, o vento se fez música, harmoniosa e dionisíaca como o galope de Orfeu. Para Eiffel, tudo era novo. Adrienne acabava de puxá-lo para um novo mundo, como a mão do homem que o puxara para o fundo do rio. Mas agora não havia afogamento. Eiffel respirava como nunca respirara antes. A floresta inteira parecia entrar em seus pulmões.

Acreditando fazer um gesto natural, ele se inclinou na direção de Adrienne e tentou devolver-lhe o beijo.

Um súbito terror passou pelo rosto da jovem. Pálida, ela se esquivou e se levantou, limpando o vestido.

– Vou ficar amarrotada.

Gustave se sentiu derrotado, incapaz de dizer alguma coisa. Ele tentou murmurar um pedido de desculpas, justificar o gesto que acreditara natural. Mas nenhuma palavra saiu de seus lábios.

Desamparado diante de tanta impotência, sua única saída era fugir. Ele correu por entre as árvores, imaginando que logo chegaria à entrada. O importante era não olhar para aquela mulher. Nunca mais!

Adrienne ficou igualmente aflita. Ela voltou a si e viu o engenheiro se embrenhar na mata.

– Espere!

Eiffel não se voltou e desapareceu em direção ao sol.

– Adrienne! – chamou uma voz que vinha da estufa.

– Estou aqui – ela gritou, após um momento de hesitação.

– O bolo!

– Estou indo!

Numa pequena poça d'água ao pé de uma árvore, Adrienne verificou seu penteado. Depois, armou-se de um sorriso encantador. E correu para apagar as velas.

13

Paris, 1886

Lockroy não mentira: os lagostins estavam uma delícia. O cozinheiro do Ministério aprendera o ofício com Escoffier, em Lucerna, e era um grande *chef*.

Era divertido, aliás, contemplar aquelas pessoas elegantes, bem vestidas e cheias de afetação comendo crustáceos com as mãos.

Os convidados também estavam excitados com o debate do dia: que monumento seria o mais capaz de glorificar a França na próxima Exposição Universal? O ano de 1889 não era uma data qualquer. O centenário da Revolução Francesa, ou melhor, da República, seria celebrado. Uma República bastante maltratada nos últimos cem anos: esbofeteada por uma Restauração, dois impérios, guerras, um cerco, uma amputação selvagem, tantas humilhações. Por isso aquela República, a terceira, precisava sair daquela comemoração engrandecida, majestosa. Colosso de pés de barro, ela precisava de símbolos que mostrassem ao resto do mundo que ela nunca mais vacilaria. Tricolor e luminosa, a França era um farol e sempre seria.

Bérard menciona o projeto de uma grande coluna, mas Lockroy não o vê com bons olhos.

– Uma coluna de granito, francamente, é triste. Já temos a Bastilha e Vendôme.

Os convivas soltaram seus lagostins para concordar.

– Precisamos ir além – retoma Lockroy, fazendo sinal para um mordomo servir mais vinho. – Precisamos de algo que desafie, provoque...

Os convivas concordam de novo, satisfeitos com os copos cheios.

Eiffel não abre a boca desde o início da refeição. Paralisado num sorriso seco, ele percorre a mesa com os olhos, como se diante de um quadro desinteressante. Restac tenta reter sua atenção, mas o engenheiro não o enxerga. Seu rosto só se anima quando troca olhares com Adrienne, sentada do outro lado da grande mesa. Eiffel faz questão de não examiná-la, embora só consiga pensar em contemplar todas as expressões de seu rosto. Ninguém deve perceber sua perturbação. Ninguém!

– Eiffel?

Gustave leva um susto, acreditando-se desmascarado.

– Gustave está sempre no mundo da lua – caçoa Restac, incomodado. – De tanto construir grandes edificações, está sempre nas nuvens.

Novo murmúrio geral, pois todos se divertem com o jogo de palavras. Adrienne é a única que revira os olhos, irritada com tantos lugares comuns; com exceção de Gustave, ninguém percebe sua reação.

– Senhor ministro? – acaba articulando Eiffel.

– Restac me disse que o senhor está cheio de ideias...

Eiffel fica satisfeito com a mudança de assunto.

– Antoine sem dúvida lhe disse que sou favorável à construção de uma ferrovia metropolitana, como em Londres ou Budapeste.

A decepção no rosto do ministro é clara.

— O "metrô" não faz ninguém sonhar, a meu ver.

Nova concordância geral, em meio aos lagostins.

— Depois da derrota de Sedan, a França precisa de algo tão forte quanto a estátua que o senhor construiu para os americanos.

De maneira bastante cômica, o ministro estende o braço para o alto e segura sua taça como uma tocha.

— A Estátua da Liberdade: que símbolo magnífico!

Gustave Eiffel afeta uma modéstia um pouco forçada.

— A obra é de Bartholdi, senhor ministro.

Depois de um segundo de hesitação, Lockroy pousa a taça na mesa, volta a pegá-la e esvazia seu conteúdo. Seu olhar se torna malicioso.

— Todo mundo sabe que a estátua está de pé por sua causa, Gustave — objeta Restac.

A mulher de Lockroy, orgulhosa quarentona de olhar atrevido, que até então se limitara a pequenos cochichos, se vira para a senhora de Restac.

— E você, Adrienne, o que acha?

Eiffel leva um susto. Seus olhares se cruzam de novo e Gustave sente medo. Ele ouvirá sua voz.

— Penso o mesmo que Édouard — responde Adrienne, fixando a mulher do ministro com seus grandes olhos de gato. — O metrô é triste, invisível, subterrâneo...

Depois, voltando-se lentamente para Eiffel, ela acrescenta, num tom cada vez mais determinado:

— Precisamos ser maiores. Mais livres. Mais *audaciosos*...

A última palavra é como uma estaca cravada no coração do engenheiro. Eiffel se torna glacial. Ele sustenta o olhar de Adrienne com hostilidade. Ela dá de ombros e pega seu copo com displicência, esvaziando-o de uma só vez.

— Esqueça o metrô — diz Lockroy. — Dê-nos um monumento. Um monumento de verdade, grande, belo. Algo que seja para a França uma revanche da História.

– Uma revanche, realmente? – repete Eiffel, encarando Adrienne. – Acha que ainda precisamos de uma revanche, depois de todos esses anos?

A observação choca o ministro.

– Está brincando? Passaram-se apenas quinze anos. Para nosso país milenar, uma faísca.

O silêncio cai sobre a mesa com força. Os convidados parecem constrangidos, pois a seriedade é palpável. Mas ninguém ousa quebrar o gelo, temendo uma crítica severa. Lockroy rumina sob seu bigode, perguntando-se por que Restac insistira tanto em convidar aquele insolente.

Eiffel começa a se divertir. Finalmente alguma coisa! Uma ponta de excitação o invade, embora Restac pareça preocupado com o fim do jantar. Gustave o encara com uma expressão tranquila, como se dissesse: "Acalme-se, sei o que estou fazendo". Depois, ele sorri discretamente a Adrienne e murmura, de maneira quase inaudível, como um orador tentando capturar a atenção de seu público:

– Uma torre...

– O que disse? – pergunta Lockroy.

– Uma torre de trezentos metros.

O ministro recupera a tez de seu rosto.

– Trezentos metros? O senhor não brinca em serviço. De metal?

– Totalmente de metal.

Restac fica desorientado. O que Gustave está armando? Mas Lockroy morde a isca.

– Está se tornando interessante, Eiffel.

O jornalista passa do receio ao entusiasmo.

– Eu lhe disse, Édouard. Gustave é um homem espantoso...

– Estou vendo – diz o ministro, mergulhando os lábios no vinho. – O que mais, Eiffel?

– Tenho uma condição – continua Eiffel.

O ministro solta uma gargalhada.

— Sinto que vamos falar de dinheiro!

Eiffel dá de ombros com desprezo. Adrienne não perde uma palavra do diálogo.

— Esqueça Puteaux e o subúrbio.

— Como assim?

— Quero minha torre em Paris. Quero que todos possam vê-la e frequentá-la. Operários e burgueses...

A frase é dita com tanto ódio que o ministro se retesa. Mas ele está encantado com o ardor do engenheiro.

— Será um lugar para as famílias importantes e para as pessoas simples. O moderno estará nessa abolição das fronteiras de classe. O senhor quer celebrar a Revolução Francesa, não?

Gustave percebe ter falado sem tirar os olhos de Adrienne, cujo olhar se inflama.

— Enquanto não cortar nenhuma cabeça, Eiffel, o senhor é meu homem!

Os convidados aplaudem e as taças brindam. O rosto de Adrienne se ilumina com um sorriso mais amplo que o Sena.

***

Antoine de Restac está satisfeitíssimo. Com a ajuda do vinho, ele tem a impressão de ter passado todo o fim do jantar rindo. Embora tudo tivesse começado de maneira tumultuosa, ele está encantado com seu resultado. O ministro tem um projeto, Gustave um trabalho e ele, o intriguista, o conspirador, o puxador de fios, desempenhou seu papel de titereiro. Decididamente, a vida parisiense é fascinante.

— Você é espantoso, Gustave — ele diz, ajudando a esposa a vestir o casaco.

Um garçom abre a porta que leva à entrada e uma corrente de ar gelado os acerta no rosto. O frescor alivia Adrienne, que fecha os olhos e se deixa acariciar pelo frio. Gustave se mantém à distância, esquivo, pois não encontrara outro momento para sair do jantar de Lockroy.

– Viemos jantar em busca de um metrô e vamos embora com uma torre. Você parece um mágico.

Uma gargalhada se faz ouvir no salão, enquanto os três entram na alameda de cascalho que leva à rua. A noite está fria e seca. Acima deles, o contorno das árvores desnudadas se destaca na escuridão, como uma ameaça. Algumas estrelas abrem caminho entre as nuvens, tímidas, e Gustave pensa consigo mesmo que, de sua torre, poderá vê-las melhor.

Ele é tirado de seu torpor por um grande tapa que Antoine lhe dá nas costas. O engenheiro tropeça.

– Eiffel sempre foi assim – ele diz à mulher. – Imprevisível. Adoro esse homem!

Crispada, Adrienne ousa um olhar para Eiffel, que evita desde que os três estão sozinhos.

Os bicos de gás pintam as calçadas com seu brilho de aquário. Os prédios haussmannianos dormem. Ao longe, um cavalo relincha.

– Levamos você, Gustave?

– Obrigado, vou caminhar... – ele mente, pensando que vai ser difícil encontrar um coche àquela hora. Mas nem pensar segurar vela por mais tempo.

– Deixe-me ao menos mostrar-lhe meu automóvel. É um protótipo em fase de testes. Você vai ver: é esplêndido...

Antes que Eiffel possa dizer que não, Antoine se afasta, cantarolando: *Sentinelas, não atirem. É um pássaro que vem da França...*

Gustave teme aquele momento; fizera de tudo para evitá-lo. Mas o tempo passa, o instante desagradável também passaria.

Adrienne pensa a mesma coisa? Eiffel não tenta adivinhar. Foge dela como da medusa. Ele não pode olhar para trás! Precisa olhar fixamente para a escuridão, para os Invalides.

– Olhe para mim...

Sua voz rompe o silêncio. Gustave permanece imóvel.

Mas aquilo iria acontecer.

– Olhe para mim – ela insiste, aproximando-se.

Ele sente a presença de Adrienne à sua esquerda. Apesar da escuridão, do frio, ele tem a sensação de que um incêndio acaba de começar. Ele se sente sufocar! Quando a mão de Adrienne pousa sobre seu ombro, a queimadura é intolerável. Ele consegue recuar sem violência, arrastando os pés, de lado.

Falar lhe exige um esforço considerável.

– Esperei realmente nunca mais voltar a vê-la.

Adrienne recebe a frase como uma facada, mas permanece impassível. Ela demonstra inclusive uma certa desenvoltura mundana, altiva, e mantém as aparências, imóvel no meio da noite.

Quando o automóvel chega, ela suspira de alívio.

Antoine salta com orgulho da estranha máquina que treme e faz um barulho infernal. E leva um susto:

– Mas que fim ele levou?

Adrienne volta a si e olha em volta: Eiffel desapareceu.

14

Bordeaux, 1859

O dia fora longo. No canteiro de obras, o ambiente estava tenso, pois um operário havia enfrentado Pauwels por uma questão de pagamento. Eles tinham chegado às vias de fato e Gustave precisara separá-los.

– O senhor defende seus homens, mas sei para que lado pende, Eiffel... – resmungara Pauwels, desdobrando as mangas como se quisesse passá-las.

Ele ficara ofendido com o fato de o engenheiro ter ido pessoalmente reclamar com seu fornecedor de madeira; e se sentira ainda mais humilhado quando Bourgès cedera, aconselhando Pauwels a tornar os andaimes mais seguros, não poupando elogios ao engenheiro. Desde então, ele desconfiava de Gustave como se ele fosse um espião.

Eiffel não se importava. Aquelas ninharias não o interessavam. Pauwels teria gargalhado se tivesse visto o jovem embrenhar-se na mata, rasgar as roupas, escalar um muro e atravessar os campos com as roupas impecáveis sujas de lama, tudo para não cruzar com a beldade que ele interpretara errado. Desde o aniversário, o engenheiro só pensava em sua obra, suas vigas, na segurança de seus operários; nada mais... Tudo menos Adrienne Bourgès...

Ele às vezes dormia na pequena cabana que lhe servia de gabinete, perto do rio, e onde ele guardava suas plantas e seus instrumentos de medição. A vista ali era mais bonita do que em sua mansarda no centro de Bordeaux. Havia a tranquilidade da água e o encantador píer de madeira, que avançava sobre o rio, e onde ele podia se sentar, com as pernas balançando, para ver a lua refletida no Garonne.

Ela acabava de aparecer, aliás. Fazia algumas noites que o céu estava encoberto. Naquela noite, porém, o astro redondo e branco surgia no horizonte e subia no céu como um balão de gesso. Gustave a contemplou por um instante, como se desse boa-noite a um conhecido antes de ir para a cama, depois caminhou na direção da cabana de madeira. O frio se abateu subitamente sobre ele, que estremeceu e cruzou os braços.

– Boa noite...

Eiffel teve um sobressalto.

Aquela voz. E aqueles olhos, de aura felina destacada pela lua.

– Boa noite – ele respondeu, fingindo indiferença.

Ela estava na frente da porta, envolta num xale.

– Você está com frio – ele disse, abrindo a porta com um grande molho de chaves. – Entre...

***

Adrienne examinava o local, como se procurasse alguma pista, alguma explicação. Era um ambiente de trabalho, mas ela avistou uma pilha de roupas, um pincel e uma lâmina de barbear, um pente e um colchão com três cobertores dobrados. Eiffel se sentiu exposto, não apenas com vergonha. Ela o observava atrás dos objetos que se interpunham entre eles. Ele poderia explicar que tinha um apartamento na cidade, mas para quê?

O engenheiro colocou suas coisas em cima da grande mesa já cheia de desenhos, plantas, réguas, e indicou a única cadeira para sua convidada.

– Obrigada – ela disse, fazendo os cachos de seus cabelos rodopiarem –, não estou cansada.

Ela caminhou até a mesa e se debruçou sobre as plantas da passarela. A luz era tão fraca – uma simples lamparina que Gustave acabara de acender – que ela precisou praticamente deitar sobre as grandes folhas, num movimento que a penumbra tornava ambíguo. Gustave estava bem atrás daquela jovem cujo corpo se oferecia, quase indecente, a um passo de distância.

– Li seu livro, sabe – ela disse, sem se virar.

– Ah, é?

Eiffel precisava se conter, não estender o braço, a mão, embora ali, logo ali...

– Vi um desenho desse tipo – ela acrescentou, passando os dedos pelo esboço de uma pilastra. – Ah, estou reconhecendo essa pilastra, para que ela serve?

Adrienne se endireitou com uma graça estranha. Quando ela se virou, o lugar se iluminou.

– Adrienne, por que está aqui?

Adrienne pousou as mãos na borda da mesa e colocou seu peso sobre ela, arqueando as costas numa pose ainda mais provocante. Seu rosto, porém, dizia o contrário: ela parecia tímida e perdida.

– No outro dia... em meu aniversário...

Eiffel recuou, mas não desviou os olhos.

– Sinto muito – ele disse secamente –, foi um mal-entendido...

– Não! – ela exclamou. – Enfim, sim, fui eu. Quero dizer: eu é que sinto muito, que peço desculpas...

Gustave não gostava de vê-la sem jeito. Preferia-a impávida, indiferente, inacessível. Ela parecia uma garotinha.

– Nesse caso, não precisa pedir desculpas, Adrienne. Nós dois sentimos muito. Compartilhamos o mesmo arrependimento.

A jovem se ofendeu com sua distância. Ela não havia atravessado a cidade, à noite, como uma fugitiva, para ser recebida com tanta frieza. Mereceria aquilo?

– Está zombando de mim – ela murmurou, com os lábios trêmulos e os olhos cheios de lágrimas.

Eiffel deveria se enternecer, mas ele sabia que Adrienne era uma atriz. No entanto, ela estava de fato ali, à sua frente, segurando-se para não chorar.

– Claro que não – ele disse, num suspiro –, não estou zombando de você. Você é... – ele procurava as palavras. – Você é encantadora.

Ela se sentiu esbofeteada.

– Encantadora – ela repetiu.

Gustave entendeu que acabara de ofendê-la e tentou assumir um tom apaziguador.

– Adrienne, não nos conhecemos. Nos vimos três vezes...

– Só precisei de uma!

Diante daquela confissão espontânea, Eiffel sentiu suas reticências desaparecerem, uma por uma. Ela havia avançado até ele, como se desafiasse sua indiferença. Não era mais a jovem sedutora daquele domingo. Era Adrienne Bourgès. A festa havia acabado, a coqueteria também. Ela estava diante dele, para ele.

Mas era demais. Aquilo era inútil. Apesar da beleza estonteante daquela jovem, que ele poderia colher como a mais bela fruta, ele havia passado da idade de brincar de esconde-esconde.

Armando-se de toda a sua força, ele conseguiu recuar e, com um gesto trivial, começou a arrumar uma pequena estante do outro lado da sala.

– Você terá outros aniversários, Adrienne. Com a mesma música, os mesmos sorvetes. E um homem que terá dado a volta ao mundo em um balão. Ele também será "diferente". Você o convidará, flertará com ele. Você será... você mesma...

– E o que isso seria...? – quis saber Adrienne às suas costas.

Achando covardia não falar de frente para ela, Gustave se virou.

– Uma encantadora garota mimada.

Adrienne ficou pálida, rígida como uma estátua, como se seu corpo estivesse sem vida. Somente seus olhos brilhavam, cheios de lágrimas.

– É o que pensa de mim?

Gustave se sentiu desnorteado. Ele não queria ter chegado àquele ponto. Naquele exato momento, gostaria de abraçá-la, acariciar seus cabelos, tranquilizá-la, dizer-lhe que tudo ficaria bem. Mas sabia que seria inútil.

– Não estou com vontade de brincar – ele confessou, mortificado, sem acreditar em uma palavra do que dizia. Sua consciência falava, não seu coração.

Adrienne aparou aquele novo golpe sem pestanejar. Apenas estremeceu no caminho até a porta. Levou menos de um segundo para desaparecer na escuridão, que se tornara ainda mais profunda.

– Como sou idiota – murmurou Eiffel, apertando os punhos até sentir dor.

Quando ouviu uma tábua ranger, Gustave estremeceu.

– Adrienne, para onde está indo?

Nenhuma resposta, apenas o som de um passo hesitante vindo da margem.

"Meu Deus, o píer!", ele pensou, correndo para fora.

– Adrienne? O que está fazendo?

– Brincando... – disse uma voz embargada.

Na mesma hora, a lua surgiu por entre as nuvens.

E ele a viu.

Ele viu como que uma aparição. Um desses quadros oníricos de que os alemães tanto gostam.

Adrienne parecia flutuar à sua frente, ao longe, na ponta do píer: os braços em cruz, o olhar desvairado, um estranho sorriso fatalista, resignado. E uma expressão de força, de insolente liberdade.

A queda foi lenta, gradual.

O corpo caiu para trás, tão leve quanto uma pluma. O olhar sustentou o de Eiffel, apesar da noite. E a água pareceu se abrir para ela, acolhedora, suave, deliciosamente canibal.

15

Paris, 1886

Rever Adrienne. Eiffel só pensa nisso. Há semanas...
Assim que tira os olhos das plantas, assim que solta os esboços da famosa torre de trezentos metros que se comprometeu a construir – quase que por bravata! –, o rosto dela reaparece. Seu sorriso amplo, seus olhos de gato e sua empáfia bem-humorada, irônica e desdenhosa. Como foi sua vida, em todos aqueles anos? O que ela se tornou? O que aconteceu? Como conheceu Restac? Que acaso extravagante fez com que se conhecessem e casassem? Gustave não quer saber. Gostaria de nunca a ter reencontrado, de repelir as lembranças para o fundo de sua memória. Gostaria de que até a primeira letra de seu nome fosse banida dc sua consciência.
No entanto...
No entanto, ele agora ronda o parque Monceau, do qual sempre desdenhou.
– É um zoológico de abastados – ele gostava de repetir, pois preferia os ambientes populares que encontrava em Montsouris ou Buttes-Chaumont.

La Plaine-Monceau é um bairro vistoso demais, que vomita dinheiro, e Gustave o frequenta com um pé atrás. Nesse ponto, ele é bastante hipócrita: seus pais não o criaram na penúria, em Dijon eles eram autênticos pequenos burgueses, e hoje ele vive cercado de confortos que não devem nada para os daquelas famílias que percorrem as alamedas do parque. As babás inglesas lembram as que empurraram os berços de Claire, Églantine, Albert... Os casais elegantes e um tanto afetados são bastante parecidos com o jovem casal Eiffel, de braços dados. Pensar em Marguerite traz um nó à garganta de Gustave. Se ainda estivesse viva, ela o protegeria. Ela o lembraria de seus deveres, de seus princípios. Mas ele se sente sem chão. Com quem poderia conversar? Compagnon não o entenderia. Claire é jovem demais. Restac é que não. Seria o mundo às avessas! O "poeta do metal" avança sob as árvores e se senta nos bancos com o coração em disparada, como um peregrino à espera do vislumbre de um milagre.

A casa deles está bem à sua frente. Um daqueles magníficos palacetes que margeiam o parque Monceau. Eiffel sabia que Restac era rico, mas daí a morar no bairro mais chique da capital...! O casal não viveria num simples apartamento. Nas últimas três semanas, em que vem frequentando o parque, ele os viu várias vezes atrás das janelas, do térreo até a mansarda. Às vezes, Antoine abre uma janela e contempla a vista. Outras vezes, ela encosta o vidro e fecha as janelas com seus gestos graciosos e seu jeito estranhamente desenvolto.

– Estarei enfeitiçado?

Gustave fala em voz alta e uma senhorinha sentada no banco ao lado do seu, dando migalhas aos pombos, o observa com surpresa.

Uma sombra se posta à sua frente.

– Meu amigo! O que está fazendo no bairro?

Gustave estremece: devia ter imaginado que aquilo aconteceria. De tanto bancar o espião, foi pego em flagrante. A surpresa de Restac é sincera e bem-humorada.

– Não nos vemos por trinta anos e agora você está em toda parte...

– Eu... estou sempre enfurnado no escritório. Caminhar me faz bem.

Constrangido, Gustave se levanta e estende a mão ao amigo. Mas Restac o agarra pelos ombros e o abraça calorosamente.

– Sabia que moro bem ali? – ele pergunta, apontando para o palacete que Gustave espreita há três semanas.

Eiffel se sente muito infantil. A situação lhe parece lamentável. Teria sido mais simples pegar o touro pelos chifres, enviar um cartão de visita, um convite. Ele não via Restac desde o jantar com Lockroy, mas o jornalista não poupava esforços para fazer o "projeto Eiffel" ser comentado na imprensa. Era muito simples: a "torre de trezentos metros" fascinava tanto o público quanto os grevistas de Decazeville e as declarações de Boulanger, o novo ministro da Guerra.

– Você viu como nossa pequena conspiração está dando frutos? – pergunta o colunista, dando um tapinha nas costas de Gustave.

– Estou trabalhando sem parar – responde Eiffel, incomodado. – Lockroy terá sua torre.

– Confio em você, Gustave. Aliás, já que está aqui, vamos celebrar. Venha beber algo em minha casa.

Eiffel fica surpreso demais para ousar dizer que não.

***

Gustave está agitado. Sua razão lhe grita para não seguir Antoine, para não entrar naquela casa, para não deixar o casaco com o mordomo negro que se inclina à sua frente. Trabalho perdido... O instinto é mais forte, e ele se deixa levar. Esforça-se apenas para não deixar seu embaraço transparecer, fingindo interessar-se pelas palavras do amigo, que se desculpa com falsa modéstia por alguns elementos da decoração.

– A casa deve lhe parecer conformista e burguesa, mas devo dizer que estamos muito bem instalados – ele diz, abrindo a porta de um grande salão.

É estranho estar do outro lado do espelho. Faz semanas que Eiffel se familiariza com aquela peça, de outro ângulo. Ele reconhece as flores, cujo vaso finalmente enxerga. Ele identifica o afresco oriental, do qual via apenas um pedaço – o tronco de uma dançarina. E então avista o banco que ocupara tantas vezes, no parque. A senhorinha continua no mesmo lugar, cercada por seu exército de pombos.

– A vista é espetacular – murmura Antoine, abrindo a janela. – Foi isso que convenceu Adrienne...

Gustave se retesa. O suor escorre por suas costas.

– Ela... está em casa?

– Adrienne? – pergunta Antoine abrindo uma garrafa de conhaque. – Não, saiu. Nas quartas-feiras, costuma visitar os museus com as amigas.

Gustave não sabe se fica aliviado ou contrariado. Os dois, sem dúvida.

– À sua torre, Gustave! – diz Antoine, levantando seu copo.

– Deus o ouça – ri Eiffel, sentindo-se estranhamente exaltado.

Restac se deixa cair num sofá.

– Sabia que Adrienne o admira bastante?

– Ah, é? – estremece Eiffel, que começa a se perguntar se o amigo não está brincando com ele.

O engenheiro se sente obrigado a dizer que não a conhece.

– Eu sei, mas ela leu um de seus livros. Um volume bastante técnico.

– Comprou-o depois de nosso jantar?

– Absolutamente. Estava em sua biblioteca há anos.

O coração de Gustave se acelera.

– Adrienne é uma mulher surpreendente – continua Restac, sem notar nada. – Ela se interessa por tudo. Poderia ter feito qualquer coisa, se não tivesse...

Antoine se interrompe, pois uma campainha soa na entrada. O mordomo entra no cômodo.

– O compromisso do senhor...

Antoine bate na testa com o dorso da mão.

– Que coisa! Esqueci completamente.

Ele se levanta e caminha até Eiffel.

– Sinto muito, preciso mesmo receber esse inoportuno. Ele está à minha espera no gabinete, que fica no primeiro andar. Você me perdoa?

Gustave sente-se aliviado.

– Eu já estava de saída.

– Fique o quanto quiser, amigo – diz Antoine, empurrando Gustave, que se vê sentado no grande sofá. – Vá embora quando quiser, tome um pouco mais de conhaque, descanse um pouco. Eu adoraria dizer para esperar por nós, mas Adrienne irá direto a um jantar, onde nos encontraremos. Mas fique: a casa é sua.

Ouvindo essas palavras, Eiffel vira o rosto para o pequeno medalhão que está em cima de uma mesa auxiliar, ao lado do sofá. Dois olhos de gato o encaram, Adrienne sorri para ele.

16

Bordeaux, 1859

Eiffel pensou estar literalmente revivendo a cena do acidente. A água que o envolve com sua lama, a violência do frio, o coração que martela seus tímpanos. Com a diferença de que fazia noite.

Seus braços vasculhavam a escuridão, remexiam o vazio, em busca de Adrienne, cuja sombra branca ele não enxergava mais.

Como ele a encontrou? Que milagre levou sua mão a agarrar o braço da jovem? De onde ele tirou forças para elevar à superfície aquele corpo puxado para baixo pelos saiotes? Eiffel não saberia dizer, pois não teve tempo de pensar. O instinto de sobrevivência varreu tudo para longe: o ar que entrava em seus pulmões na chegada à superfície era a única coisa que havia.

Adrienne soltou um urro assustador. Um grito rouco, que rasgou a noite. Eiffel se lembrou do grito de uma vizinha, em Dijon, que dera à luz com as janelas abertas numa noite de verão.

Mas o corpo da jovem amoleceu na mesma hora, como um saco de roupas úmidas nos braços de seu salvador.

Enquanto Eiffel a puxava para a margem lodosa que a lua transformava numa praia de areia fina, Adrienne começou a chorar. Soluços sem lágrimas, mais secos que um deserto.

– Você ficou completamente louca! Queria morrer? Queria que nós dois nos afogássemos? Essa é sua nova diversão?!

Gustave era tomado por vários sentimentos: raiva, medo, uma estranha resignação, e a impressão – doce e dolorosa – de que Adrienne havia vencido.

– Sinto muito, sinto muito – ela arquejou com voz fraca, encolhendo-se sobre si mesma, sacudida por espasmos.

Gustave pegou um pano seco que encontrou no chão e colocou-o sobre Adrienne. Depois, ajudou-a a se levantar.

– Venha...

Mas Adrienne não conseguia se mexer. Parecia tomada por uma preocupante paralisia.

Ele também estava febril, mas conseguiu pegá-la no colo.

Quando eles entraram na cabana, ele pensou consigo mesmo que ela era bastante leve.

Um minuto depois, o fogo roncava na lareira. Gustave a enchera com tudo o que atravancava o local – pedaços de tecido, tocos de madeira, papéis velhos. O importante era Adrienne voltar a si.

Encolhida na frente do fogo, ela olhava fixamente para as chamas, sem piscar. Gustave acabara de colocar sobre seus ombros um cobertor mais agradável do que o pano encontrado na margem do rio, e ela sentia o calor voltar a seus membros.

– Está se sentindo melhor? – ele perguntou, mais tranquilo.

Com um sorriso culpado, ela assentiu. Depois se contorceu.

Gustave entendeu que, por baixo do cobertor, ela tirava as roupas encharcadas. Com verdadeira habilidade, sem mostrar nenhuma parte de seu corpo, Adrienne pendurou-as na frente da lareira. Depois, voltou à posição anterior e pareceu mais à vontade, como se finalmente pudesse respirar.

– Venha – ela pediu, virando-se para Eiffel, que sentiu sua timidez e seu desejo voltarem.

Ele se agachou ao lado de Adrienne, no chão da cabana, e passou o braço por cima de seu ombro. Com toda naturalidade, ela deixou a cabeça pender e Gustave sentiu seus cabelos molhados acariciarem sua bochecha.

O calor era agradável. O fogo, cúmplice, tremulava diante deles. À luz das chamas, Adrienne parecia um belíssimo fantasma. Mais bonita do que ele poderia imaginar. Gustave entendeu que, mais uma vez, Adrienne havia vencido.

17

Paris, 1886

Nos Empreendimentos Eiffel, a agitação é generalizada. A ideia da construção de uma torre de trezentos metros é muito bonita, mas envolve muito trabalho.

– Pensei que Lockroy tivesse concordado com tudo – espanta-se Compagnon, que vê o sócio repassando as plantas da construção por noites a fio, aperfeiçoando-as, deixando-as mais graciosas, mais poéticas.

– O ministro concordou que eu fizesse a proposta e visivelmente sou seu favorito... Mesmo assim, preciso defender o projeto diante do Conselho de Paris... Haverá um concurso, com outros concorrentes...

Jean não acredita.

– Um concurso? Pensei que você nunca participasse de concursos...

Eiffel responde, erguendo um dos desenhos e brandindo-o diante de seus olhos:

– Alguns projetos valem sacrifícios. Enquanto isso, Restac se encarrega de inflamar a imprensa. Anote o que digo: não será um concurso, mas um plebiscito.

Jean Compagnon fica surpreso com a segurança do engenheiro. Embora Gustave seja um homem cheio de dúvidas e questionamentos, ele parece mergulhar no projeto daquela torre com raiva frenética, como se estivesse obcecado.

Os dois quase esquecem que o projeto ainda não pertence aos Empreendimentos Eiffel e que é preciso seguir todos os passos à risca.

Nouguier e Koechlin pensam que Gustave está lhes pregando uma peça, pois antes desprezara o "pilar" que considerara tão árido.

— Sim, sim, vou comprá-lo.

— Mesmo, chefe?

Quando ele propõe comprar a patente pelo valor de um por cento sobre o custo das obras, os dois arquitetos fazem um rápido cálculo mental — uma torre de trezentos metros, centenas de operários, obras por no mínimo dois anos — e entendem que uma ocasião como aquela não se repetirá tão cedo!

— Fiquem tranquilos — Eiffel deixa bem claro —, os nomes de vocês serão citados ao lado do meu...

Ele os agarra pelos ombros e se debruça sobre um dos desenhos, empolgado:

— Essa torre será nossa, meus amigos...

Desde aquele dia, Gustave parece possuído. Fazia tempo que ele não se envolvia tanto com um projeto. Todas as suas obras anteriores foram coletivas. Agora, subitamente, ele quer que aquela torre lhe pertença, ele quer possuí-la. Assim, o "pilar" de Koechlin e Nouguier ganha forma e vida. A rigidez dos primeiros desenhos se atenua, suaviza. Quando está debruçado sobre suas plantas, seus esboços, Eiffel tem a sensação de ser mais que um engenheiro; ele é mais que um artista em pleno surto de inspiração: ele é um homem obcecado, inflamado. Como se escrevesse uma carta de amor a esse projeto insano, desmedido. Como se precisasse convencê-lo, conquistá-lo. A sombra de Adrienne está sempre rondando sua mente, perturbadora e estimulante. Se há alguém para quem Gustave quer provar ser o melhor, o *único*, é ela. A ponto de se tornar um escravo do trabalho, dormindo pouco, tomando café depois de café, debruçado sobre suas grandes folhas brancas, forçando os olhos.

De repente, enquanto sua mente divaga por um instante em lembranças longínquas, ele se vê desenhando as costas de Adrienne. A magnífica curva que cai de sua nuca e chega à cintura: um contorno perfeito, mais bonito que o de uma estátua.

Ele tem então uma iluminação, uma revelação: ali está sua torre! Ele não precisa de uma linha reta que leve da base ao topo, mas de uma curva, humana, viva.

Gustave é tomado de frenesi, obcecado com o contorno que confere ao pilar a famosa "sensualidade" que lhe faltava.

É muito simples: ele vive, pensa e respira através da torre. Os outros projetos ficam tão abandonados que Compagnon precisa segurar as pontas. Alguns clientes começam a se irritar.

– E o senhor Eiffel? Não o veremos?

– Os senhores podem falar comigo. Sou seu sócio.

– Queremos falar com o senhor Eiffel. Contratamos o poeta do metal, não um contador...

– Justamente – diz Compagnon, cerrando os dentes – o poeta está em pleno surto de inspiração.

E é verdade. Assim que chega em seu gabinete, Gustave mergulha em suas plantas; ele examina o edifício de todos os ângulos, calcula todos os riscos, os mínimos detalhes. No fundo, ele sabe que não está construindo aquela torre somente para si. Há alguém por trás daquele empenho, daquela juventude reencontrada. Mas ele se absterá de dizer seu nome. Digamos que ela é sua musa, sua inspiração. O resto é passado, erro juvenil.

– Ela precisa ser perfeita – ele murmura, esvaziando uma décima xícara de café, com os dedos trêmulos.

Ao cabo de alguns dias, ele está tão febril que fura a folha com a ponta de seu lápis. Mas as plantas ficam quase prontas, faltam-lhes apenas alguns floreios, decorações.

— Diga para Sauvestre vesti-la — ele ordena a Jean Compagnon, que não reclama diante de seu tom militar. — Peça-lhe que desenhe balcões, galerias, para tornar o conjunto um pouco menos árido...

— Põe aridez nisso... — reclama Compagnon, preparando-se para chamar Stephen Sauvestre, um dos mais notáveis arquitetos de sua geração. Muitas famílias parisienses abastadas lhe pediam para desenhar suas mansões, para as quais ele projetava castelos com torres, palácios das Mil e Uma Noites, casas de contos de fada. Uma nova torre de Babel caberia em seu estilo.

— Mas que ele não altere nada de sua forma, entendeu? Minha torre é única! Ela não deve se parecer com nenhuma outra!

— *Sua* torre — repete Compagnon, exasperado.

18

Paris, 1886

Gustave sai da loja e se olha no grande espelho ao lado da vitrine, na rua.

Restac ri diante de sua vaidade.

– Fique tranquilo, ficou ótimo!

O engenheiro não tira os olhos da própria imagem, examina o corte, o caimento dos ombros, a elegância das formas, a qualidade do tecido. No reflexo, ele vê os passantes descendo a Rue de Bourgogne sem pestanejar. Ele quase fica decepcionado que as pessoas não se detenham para elogiar seu traje. Compreende, então, que todos estão vestidos como ele; ou melhor: ele está vestido como eles.

– Na última vez que visitei um alfaiate, Marguerite ainda estava viva – ele confessa, sonhador, acariciando o forro do paletó. – Desde então, Claire cuida dessas coisas, nem me pede para acompanhá-la. Ela é minha pequena dona de casa, sabia?

Restac coloca uma mão amiga sobre seu ombro e os dois se contemplam no espelho, tímidos.

– Veja aqueles dois estudantes! – zomba o jornalista. – Tornaram-se perfeitos burgueses!

Eiffel se ofende, mas de novo se compara aos passantes – o casal que desce e dobra na Rue Las Cases, os três senhores que chegam à praça do Palais Bourbon e entram na Assembleia, sem dúvida deputados. Restac está certo: a época os alcançou e moldou. Eles são perfeitas imagens de seu tempo.

– Coooooompre o *Fiiiiigaro*!

Um pequeno vendedor de jornais sobe a calçada na direção dos dois.

– Veja, bem a calhar! – diz Antoine, comprando um exemplar do garoto, que também lhe oferece três jornais concorrentes a "preço de custo", com uma piscadela, embora não devesse vendê-los.

– Mais um que sabe se virar – ri Antoine, abrindo o primeiro jornal. – Ah, finalmente, saiu!

Ele passa o jornal ao amigo, que descobre uma página dupla inteiramente dedicada a "Eiffel e sua torre". As colunas de texto, numerosas, são ilustradas por uma fotografia do arquiteto em pé à frente do viaduto de Garabit, bem como por um dos esboços da torre embelezados por Stephen Sauvestre.

O engenheiro não consegue esconder sua excitação. Restac tem a impressão de estar diante de um homem que avistou a amada.

– Você tem motivos para estar feliz, Gustave. O artigo é assinado por Palou, o melhor articulista do *Figaro*.

Eiffel se sente no céu e chega a reler algumas frases exageradamente laudatórias, como se repetisse uma taça de licor de Chartreuse.

– Parabéns – ele diz ao amigo.

Restac encolhe os ombros, jovial.

– Por quê? A torre é sua, não minha.

Eiffel lhe dá um tapinha afetuoso no ombro.

– Então obrigado...

O jornalista não responde, ocupado demais em folhear outro jornal. Os dois chegam à praça do Palais-Bourbon e se encostam às grades que cercam a estátua da Justiça. Em torno deles, coches descem vagarosamente a Rue de Bourgogne, passantes entram na florista da esquina, um pequeno grupo mundano, aristocrático, caminha pela calçada com movimentos delicados. Mas os dois homens estão mergulhados na leitura de algo que – Restac o havia avisado – mais parece propaganda.

– Neste também – alegra-se Restac diante de uma página dupla do *Temps*. – Não lembro mais o que prometi para esse sujeito aqui.

Lendo por cima do ombro do amigo, Eiffel se depara com outro elogio a seu projeto para a Exposição Universal.

– Você subornou seus colegas para eles falarem de mim? – murmura Eiffel, que fica um pouco incomodado com a franqueza de Restac. Na maioria das vezes, ele prefere não saber.

Antoine fecha o jornal e, com o queixo, aponta para a Câmara dos Deputados, à frente deles.

– Para seduzir a França, precisamos de medidas drásticas. E elas não são tudo. Mas uma coisa é certa: vamos ganhar esse concurso!

Abrindo os dois últimos jornais – *L'Intransigeant* e *Le Gaulois* –, eles se deparam com os mesmos elogios.

– Perfeito – conclui Restac –, tudo isso me parece um ótimo início. Você sabia que Alphand, o mestre de obras da Exposição, está fazendo campanha para você?

– Que bom – diz Gustave, subitamente temeroso de que uma campanha insistente demais na imprensa tenha o efeito contrário. – Mas teremos um concurso. E primeiro preciso convencer todos os membros da comissão, que visitarão meu gabinete dentro de três horas...

Restac vira o rosto para o frontão da Assembleia, onde um grande relógio marca a hora da República. Depois ele dá um passo para trás e examina o amigo.

– Fique tranquilo, você vai seduzi-los.
– Mas o Conselho é todo constituído de homens.
Restac faz uma pausa langorosa.
– Sim, mas eles ouvem suas mulheres. Não tomo nenhuma decisão sem consultar Adrienne, sabia?

Como se acabasse de levar uma ferroada, Eiffel cerra os dentes, mas consegue sorrir. Depois, olha de novo para o relógio e chama um coche estacionado à esquina da Rue de l'Université.
– Não devo me atrasar...

19

Paris, 1886

– Sou apenas um homem com uma ideia maior do que ele mesmo...

As doze barbas não pestanejam. Mais impassíveis que um pelotão de fuzilamento, elas ouvem o engenheiro.

– Peço-lhes apenas que me deixem apresentá-la...

O coração de Eiffel bate mais rápido. Apesar da campanha midiática orquestrada por Restac, ele sabe que aquela apresentação é fundamental. Naquele dia mais do que nunca, o futuro de sua torre está em jogo. Por isso ele convidara os doze membros da comissão do Conselho de Paris a visitar seus ateliês, em Levallois. Alguns haviam reclamado, preferiam que Gustave fosse à prefeitura, mas a curiosidade falara mais alto. Ele precisa impressionar, maravilhar. E tudo começa pelas palavras. Palavras que Eiffel repetira na frente do espelho, para Claire, Restac e toda a sua equipe. Os mais próximos, aliás, estão ali, atrás dele, como o estado-maior de um general. Compagnon, ansioso e crispado; Claire, que se segura para não pegar a mão de Adolphe; Koechlin, Nouguier, Sauvestre, os primeiros pais do projeto; e por fim Restac, sempre desenvolto, sentado na beira de um pedestal, que contempla a cena como se assistisse a uma peça de teatro. Nos gabinetes vizinhos, os colaboradores acompanham o discurso sem som, pois Gustave fechara todas as portas.

– Esta torre, senhores, não representa a glória ou reputação de um homem, mas Paris! Seu brilho, seu lugar no mundo e, quem sabe, um pouco de sua alma.

Um conselheiro cochicha a seu vizinho que Eiffel é mesmo um poeta. Mas vejamos o que ele tem a mostrar.

– Imaginem uma torre que se ergue até o céu, atraindo os olhares de todos! Um desafio à gravidade, aos elementos, à nossa simples condição de humanos.

Se os conselheiros olhassem para Claire, eles veriam seus lábios recitando o mesmo discurso. Mas eles só têm olhos para Gustave, cujo entusiasmo se torna contagioso.

– Esta torre é a confiança redescoberta de uma nação que ergue a cabeça depois de derramar sangue e lágrimas.

O tom patriótico produz o efeito esperado e Gustave vê com alívio os conselheiros corarem de orgulho republicano.

Um deles levanta o dedo, como um aluno.

– O senhor não teme que esse mastodonte de trezentos metros afugente os turistas de Paris?

Eiffel caminha na direção de seu oponente.

– Pelo contrário! Os turistas virão aos milhares! Da Europa e do Novo Mundo...

Ele percorre a fileira de conselheiros com passo militar, encarando um de cada vez, e acrescenta:

– Também será possível jantar na torre, e até dançar.

A ideia seduz alguns, mas outros torcem o nariz àquele detalhe burlesco.

– Como pensa dirigir as obras do chão? – pergunta um dos mais velhos, apontando para a base da grande planta que Gustave havia colocado no centro da sala. – Tão perto do Sena, sua "grande maravilha" vai afundar...

– ...e colocar em risco os arredores – acrescenta outro, despertando uma série de olhares preocupados.

Gustave mantém a calma: esperava uma pergunta como aquela. Com um estalar de dedos, chama Salles, que substitui o desenho da torre por um esquema dos caixotes hidráulicos que permitem obras em subsolos inundáveis.

– Em relação às fundações, fizemos sondagens a cada três metros, com quinze metros de profundidade. Um sólido banco de calcário aflora no lado que dá para a Escola Militar, então tudo certo...

Os conselheiros se aproximam.

– No lado que dá para o Sena, porém, o senhor tem toda razão: o antigo leito do rio enfraquece o solo e torna a obra mais delicada.

O engenheiro explica seu desenho, descreve a técnica dos caixotes hidráulicos. Como as escavações serão profundas, a água tenderá a subir. Com a pressão do ar comprimido, a água descerá e será mantida abaixo do nível das obras, e os escombros poderão ser aterrados, de modo que as fundações serão cimentadas a seco.

Os doze conselheiros ficam admirados e, ao mesmo tempo, desnorteados. A técnica vai além de seu entendimento, é muito abstrata para eles. Um dos senhores fica indignado com a ideia de um caixote subterrâneo que utilize ar comprimido.

– Mas... não é perigoso?

Gustave lembra os presentes de que sua primeira construção, há mais de vinte anos, em Bordeaux, confrontou-o ao mesmo desafio.

– Era uma ponte metálica, que os senhores sem dúvida já atravessaram, se um dia desceram até a região por trem.

Com uma piscadela, Eiffel passa a palavra a Compagnon.

– Senhores, temos uma maquete no andar de baixo – diz o associado. – Nela, poderão constatar por si mesmos a resistência da torre.

Como se lhes oferecessem um passeio de montanha-russa, os conselheiros seguem alegremente os passos de Jean Compagnon.

– Parabéns, papai – murmura Claire, pousando um beijo furtivo em sua barba bem aparada.

– Ainda não acabou – responde Gustave, que acompanha a movimentação da pequena comitiva pela estreita escada em caracol, na qual todos se agarram ao corrimão.

O engenheiro e o jornalista se unem ao grupo.

– Você nunca me disse que trabalhou em Bordeaux... – comenta Restac.

Eiffel responde, com um olhar neutro.

– Pelo tempo de construção da passarela.

– Que idade você tinha?

Gustave sente seu incômodo crescer. Ele nunca pensou que teria aquela conversa com Antoine, muito menos naquele dia!

– Vinte e sete ou vinte e oito, não lembro mais...

Restac faz alguns cálculos mentais e pergunta, para confirmá-los:

– Você deve ter conhecido a família de minha mulher, os Bourgès?

Gustave sente todos os seus músculos se contraírem. Ele não pode demonstrar nada! A única coisa que importa é sua torre, o projeto mais importante de sua carreira.

– O nome não me diz nada – ele murmura.

Depois, o engenheiro acelera o passo e desce de dois em dois os degraus da pequena escada.

***

A maquete é magnífica! Tem dois metros de altura e é feita com o mesmo metal que será utilizado na torre. Eiffel mandou colocá-la sobre uma mesa, no centro da sala. Os conselheiros a contemplam com uma mistura de admiração e dúvida. Tentam imaginá-la em tamanho real, no centro de Paris, na entrada do Champ de Mars.

Cada um forma sua própria imagem mental. Os mais convencidos a veem triunfal, altiva como a França, de peito estufado. Os mais reticentes se preocupam com aquela estrutura gigantesca, ciclópica, que destruiria metade da cidade se viesse a cair!

Dois homens de jaleco branco fecham as cortinas e mergulham a peça na escuridão.

– Hora da lanterna mágica – zomba um dos conselheiros.

Os outros se mantêm distantes, como se temessem o que o mago Eiffel se prepara a fazer.

O engenheiro não diz nada. Com os braços cruzados, assiste à cena como um diretor que contempla os atores com quem trabalhou por semanas a fio.

Um terceiro jaleco branco caminha até a maquete empurrando uma máquina sobre uma mesa com rodinhas.

– É um gerador, não é mesmo? – pergunta um conselheiro.

Eiffel contém um sorriso. Alguns têm noções de física. Ele bate uma mão na outra e se vira para os conselheiros.

– Senhores, para sua segurança, deem um passo para trás, por favor.

Os doze senhores ficam cada vez mais pálidos. Apesar da escuridão, Claire vê um conselheiro segurar o braço do vizinho. Ela está exultante e cola o corpo contra o de Adolphe, que parece tão tenso quanto Compagnon. Mais uma vez, Restac, à distância, se diverte abertamente e segue a cena com avidez.

Eiffel faz um sinal aos engenheiros de jaleco branco, que acionam o gerador. Quando uma grande faixa azul atravessa a peça e atinge o topo da maquete, os doze conselheiros se sobressaltam. Não é mais o braço do vizinho que o senhor temeroso agarra, mas sua mão inteira, esmagada com força! Todos realmente acreditam que os Empreendimentos Eiffel foram atingidos por um raio. Um cheiro de queimado se espalha pela sala e Eiffel pede que as cortinas sejam abertas.

Aliviados que nada esteja pegando fogo, vários conselheiros avançam com desconfiança e curiosidade na direção da maquete e do gerador.

– O para-raios mergulha no lençol freático. Os raios podem atingir a torre o quanto quiserem...

Os conselheiros ficam petrificados, sem esconder sua admiração. Claire dá uma cotovelada em Adolphe. Compagnon pisca para Gustave.

Este se torna visivelmente mais seguro de si e faz um sinal para outro assistente.

– Depois do fogo, o ar... e a água.

Um jato atinge a torre em cheio. Os conselheiros nunca viram tanta pressão sair de um simples cano. Uma tromba d'água mais violenta que um tiro de canhão. Mas a maquete não se move um milímetro.

– Esse jato equivale a uma rajada de trezentos e cinquenta quilômetros por hora. Os ornamentos metálicos foram pensados para que a torre ofereça pouquíssima resistência ao vento.

Novo silêncio admirado, que um conselheiro acaba rompendo:

– Desculpe-me pela pergunta idiota, mas se o senhor pretende montar os pilares separadamente, como vai garantir que a torre será vertical?

Gustave quase franze o cenho. Põe idiota nisso! Aquele deve ser Bouglache, o antigo arquiteto, e o único membro do conselho abertamente partidário do projeto concorrente, a grande torre de granito imaginada por Bourdais.

Sem demonstrar nenhuma emoção, Eiffel aponta para um cano, abaixo do pilar de sua maquete.

– Cada fundação abriga um macaco hidráulico provisório e cada empena é sustentada por uma escora com pistão.

Os outros onze membros parecem perdidos, mas Bouglache entende tudo o que o engenheiro diz.

– Os macacos hidráulicos são acionados por baixo – diz Eiffel, movimentando uma bomba manual que tira a água de um poço –, e a areia é retirada por cima.

Eiffel puxa uma pequena tampa, e um pouco de areia fina escorre do pistão... e o pilar se inclina.

"Oh!", exclamam os conselheiros.

– Com isso controlamos a horizontal e a vertical, como um nível de água.

Eiffel vai às nuvens, pois percebe a expressão admirada de Bouglache. Este levanta a cabeça e diz, num tom cúmplice:

– Parabéns, Eiffel, o senhor tem resposta para tudo.

Gustave se volta por um instante para os amigos e familiares que seguem a cena num silêncio religioso. Depois, toca a curva de sua maquete como se acariciasse um cavalo depois da demonstração de uma acrobacia.

– A vida me ensinou a desconfiar das surpresas.

O sangue martela suas têmporas como se fosse explodir seu crânio. "Consegui!", uma pequena voz parece lhe dizer. Mas outra, mais grave, mais desconfiada, lembra-o de que ele ainda tem a prova final: o famoso concurso...

20

Bordeaux, 1860

Os amantes estavam à janela, o queixo sobre o parapeito, como dois filhotes de cachorro. Os telhados de Bordeaux se estendiam diante deles, com seus lindos tons de vermelho. O sol acariciava seus rostos ainda úmidos. Uma leve brisa soprava, com um beijo sedoso.

– É tão bom... – suspirou Adrienne, fechando os olhos.

Gustave, por sua vez, olhava para o sol e o desafiava. Um dia, construiria uma escada para subir até ele! Com Adrienne, ele se sentia capaz de tudo. Ela derrubava todos os obstáculos e lhe permitia ver o mundo de outro modo: com mais profundidade e serenidade, mas também com a paixão e a energia que sua simples presença lhe insuflava a cada dia. Como ele pudera viver 27 anos sem conhecê-la? Às vezes, aquela pergunta o assombrava. Como se os anos que haviam precedido aquele encontro tivessem sido desperdiçados, inúteis. Quando ele lhe dizia isso, ela caía na gargalhada, mas não ousava dizer que pensava o mesmo. Há coisas que só podem ser ditas com os olhos, com o corpo. E desse diálogo eles nunca se cansavam...

– Aqui estamos melhor do que na cabana junto ao canteiro de obras...

Gustave sente uma súbita nostalgia, como se já sentisse falta das primeiras horas daquele amor. A inocência desaparecera? Pelo contrário, mas a magia daquela primeira noite, o medo do afogamento, o calor do fogo, os dois corpos que se descobriam, eram coisas que não podiam ser repetidas.

– Eu voltaria para lá de vez em quando... – sugeriu Gustave, seguindo o voo de uma pomba que pousou no campanário de uma capela, a poucas ruas de seu apartamento.

Ao ouvir isso, Adrienne se projetou para trás, como uma mola, e caiu na grande cama, cujo colchão gemeu de dor.

– Prefiro me afogar em seus lençóis – ela disse, numa pose provocante, puxando a camisola até o alto das coxas.

Gustave foi a seu encontro, mas ela se levantou e abaixou a roupa até os tornozelos.

– Estou com fome! – ela disse, abrindo os armários ao lado da porta de entrada daquela habitação de um cômodo só.

Gustave acompanhou seus movimentos, excitado e enternecido, pois teria preferido tê-la de novo em seus braços.

Ela pegou uma caixa de biscoitos.

– Você não tem mais nada?

– Não.

Adrienne encolheu os ombros, abriu a caixa e comeu como uma garotinha.

– Que apetite!

– Eu disse que estava com fome...

Ela voltou à cama para se sentar, com a boca ainda cheia.

Com o dorso da mão, Gustave acariciou suas bochechas cheias de comida. A pele de Adrienne era macia como uma fruta.

– Estão bons?

– Nem um pouco – ela riu, sujando os lençóis de migalhas.

Gustave limpou os farelos e se sentou de pernas cruzadas diante da jovem.

– Um dia darei a você... o que você quiser.

– Verdade? – ela perguntou, sinceramente maravilhada.

– O que você quer?

Adrienne parou e se concentrou profundamente.

– Tudo.

– Tudo?

Gustave fingiu seriedade.

– Vou casar com você, sabia?

Adrienne foi invadida por uma súbita felicidade.

– Eu também, sabia?

E os dois começaram a rir, abraçando-se.

Os amantes ficaram um bom tempo sem se mexer, o olhar perdido na janela, onde o sol se deslocava lentamente. Tudo acontecera tão rápido desde a primeira noite, às margens do Garonne. Em poucos dias, Adrienne se tornara parte de sua vida, e ele da dela. Ela conseguira impô-lo a seus amigos, a seus pais, com incrível naturalidade e audácia.

Adrienne era tão luminosa e obstinada que sempre desarmava seus opositores.

Eiffel precisava admitir que, por mais burgueses e conformistas que eles fossem, os Bourgès haviam demonstrado uma mente incrivelmente aberta. Na primeira vez que ela levara Gustave à sua casa, segurando abertamente sua mão, os pais se contentaram em franzir o cenho e trocar um olhar cúmplice.

"Pronto...", murmurara Adrienne antes que todos se sentassem no salão e antes que Louis Bourgès lhes oferecesse o armanhaque que mandava destilar na Gasconha. Rapidamente, portanto, ele havia entrado em seu círculo familiar.

– Gustave, o que está lendo nesse momento?

– Eiffel, o que pensa dessa observação da Imperatriz?

– Caro amigo, me ajude a preparar essa salada de frutas...

– Diga-me, engenheiro, já que tem olho para isso, não acha que esse telhado poderia ter um ângulo menos agudo?

Tudo parecia simples, Eiffel se sentira adotado. Para Adrienne, nada mais normal que aquilo. Aos olhos do jovem, era tão surpreendente que ele ainda custava a acreditar.

– Seus pais parecem realmente gostar de mim... – ele às vezes dizia, quando eles se viam sozinhos no agradável quarto de Adrienne, depois de desejar boa noite aos dois, que tinham visto subir juntos com verdadeira benevolência.

– Você parece surpreso.

– Você é a jovem mais bonita da região, todos a cortejam, não sou ninguém e seus pais me tratam como um filho.

– Está se queixando?

Na verdade, Gustave queria algum elogio. Claro que ele detinha todas as qualidades: era bonito, inteligente e loucamente apaixonado por Adrienne. A família Bourgès poderia desejar um melhor partido?

Mas daí a dar-lhe a mão de sua filha...

Gustave se levantou e caminhou até a janela. A vista dos telhados de Bordeaux sempre lhe fazia bem. Da mesma forma que a observação de uma estrutura, de um mecanismo complexo, o tranquilizava.

Ele perguntou, ansioso:

– Você acha que sua família concordará?

– Minha família faz tudo o que lhe digo para fazer.

Ela de novo falara como uma criança.

– Não estou brincando, Adrienne – ele disse, endireitando-se. – Faz seis meses que nos amamos...

– Seis meses! – repetiu a jovem, como se dissesse "vinte anos!".

– O mesmo que dizer uma semana...

– Você acha?

– Seus pais com certeza têm outras ambições para você.

Adrienne fechou a cara.

– Em primeiro lugar, como você pode saber? Em segundo, não estou nem aí...

– Eles com certeza preferem o herdeiro de uma abastada família de Bordeaux, com terras, vinhedos, florestas, palacetes...

– Que nunca chegará aos pés do engenheiro mais brilhante de sua geração!

Eiffel sorriu, com uma ponta de tristeza.

– Seus pais me toleram porque trabalho num projeto para o qual seu pai fornece madeira...

– Eles fazem mais do que tolerá-lo: eles o recebem em sua mesa, em seu salão, em seu jardim, eles o apresentam a seus amigos e fecham os olhos quando não durmo em casa.

– Mas daí a me conceder a mão de sua filha...

– Se estivessem realmente incomodados, fariam algum comentário quando nos beijamos na frente deles...

Gustave se retesou. Ele se sentia constrangido quando Adrienne se pendurava em seu pescoço na presença dos pais. Mas os Bourgès não pareciam se incomodar, eles aceitavam de bom grado as extravagâncias da filha que era a luz de seus olhos. Filha única que chegara tarde a um casal que tanto penara para tê-la, Adrienne era objeto de uma tolerância pouco comum para o meio e para a época. Por mais rígidos e burgueses que seus pais fossem, eles entendiam que a filha era uma pessoa diferente e que precisava ser tratada como tal.

– Além disso, se está tão preocupado, peça logo!

– O quê? A quem?

Adrienne se levantou, encheu o peito – seus seios apareceram sob a camisola – e estendeu o braço direito para Gustave.

– Minha mão, ora. A meu pai.

Ele ficou nervoso. Aquilo lhe parecia algo impensável.

– Eu? A ele? Eu nunca ousaria...

Ofendida, Adrienne cruzou os braços em frente ao peito.

– Você renunciaria a mim por timidez? Seu amor é bastante superficial...

Gustave se sentiu tremer, pois Adrienne podia passar do fogo ao gelo quando contrariada.

– Meu amor, não precisamos lhe pedir nada, não é mesmo?

Gustave não acreditava em si mesmo. Irritada, Adrienne balançou a cabeça da direta para a esquerda.

– Talvez seja diferente na casa dos Eiffel, em Dijon. Mas na casa dos Bourgès, em Bordeaux, um jovem pede a mão de uma filha a seu pai...

O tom altivo feriu Gustave, pois ela esfregava suas origens na cara dele. Eles também eram burgueses, na Borgonha. Mas ao lembrar de sua bonita casinha na cidade, que caberia inteira no grande salão dos Bourgès, Eiffel soube que não poderia ganhar naquele jogo.

– Está bem, está bem – ele disse, resignado.

O sorriso de Adrienne voltou.

As coisas se organizaram na mente do engenheiro. Pedir a mão de Adrienne ao velho Bourgès? Nem pensar. Gustave não se sujeitaria a uma recusa direta. Mas ele teve uma ideia...

– Perdi a fome... – disse então a jovem, com teimosia.

Eiffel saiu de seus pensamentos e olhou para ela. Adrienne havia tirado a camisola e o esperava, tão esplêndida e luminosa quanto o raio de sol que tocava sua pele.

21

Paris, 1886

Quantas pessoas haviam sido convidadas? Adrienne pensara que participaria de uma cerimônia íntima, mas se deparou com trezentas pessoas percorrendo os salões do Ministério do Comércio para conhecer as incríveis maquetes.

– A tropa inteira foi convocada – ela diz, reconhecendo algumas pessoas e cumprimentando-as com um sorriso discreto.

Fazendo-se de ofendido, seu marido lhe murmura ao ouvido:

– Não seja tão esnobe, senhora de Restac.

Adrienne parece cada vez mais tensa. Ela não quisera vir, mas Antoine insistira.

– O resultado do concurso será divulgado. E você poderá ver todos os projetos: eles são fascinantes!

De certo modo, a multidão lhe convém. Facilitará sua fuga, se ela for obrigada a tanto. Adrienne não consegue deixar de examinar as pessoas com avidez. Ela espera vê-lo, tanto quanto tem medo de encontrá-lo...

Faz semanas que ela vive com um nó na garganta. Semanas de tortura, pois Antoine só tem uma palavra na boca: Eiffel.

Eiffel e sua torre. Eiffel e seus projetos. Eiffel e seu gênio. Eiffel, que ele conheceu na juventude, ainda imaturo, e que ele sem dúvida acredita ter introduzido às alegrias mundanas. Eiffel que vive, respira, come e dorme com eles, embora eles não se vejam desde a noite no Ministério, há seis semanas. Mas quando Antoine está obcecado por uma causa, ele mergulha de cabeça. Tanto que Gustave Eiffel se tornou um convidado permanente de seus momentos a sós, um fantasma incisivo, uma aparição, sem que Antoine tenha suspeitado por um instante sequer que Adrienne pudesse se incomodar. Felizmente para ela, seu marido não sabe de nada...

"E nunca saberá", ela pensa, olhando em volta com febril avidez.

Então ela o vê...

Ou melhor: ela os vê. Ela devia saber, Gustave tem uma família. Proibindo-se de fazer qualquer pergunta a Antoine, Adrienne não sabe nada de Eiffel além de sua torre. Antoine é muito discreto, como se protegesse o amigo. Diante daquele pequeno grupo que se mantém compacto, ela entende que Gustave também seguiu com sua vida. Aquela jovem de rosto luminoso é igual a ele, sem tirar nem pôr. Bem como as três crianças mais jovens, agarradas à saia da irmã mais velha. Ela se espanta de não ver sua esposa. Terá permanecido em casa?

– Ah, ali estão eles! – exclama Restac, que se prepara para abanar à família Eiffel, do outro lado da sala.

Adrienne o detém com um gesto brusco.

– Deixe que fiquem a sós, devem estar ansiosos.

– Justamente...

– Vamos caminhar um pouco. Depois que estivermos com eles, sei muito bem que você não vai mais querer sair do lado de seu "velho Gustave".

Antoine ri.

– Meu amor, como você é perspicaz.

Ele a beija no pescoço com um despudor que a faz estremecer. Ela volta os olhos para Gustave, temendo que ele os tenha visto. Mas não. Lívido, duro, ele murmura algo ao ouvido da filha e acaricia a cabeça do filho mais novo.

– Onde está sua mulher?
– A mulher de quem?
– De Eiffel?

Com uma resposta apressada, Antoine diz com displicência:
– A mulher de Gustave? Está morta, ora!

Aquela desenvoltura deixa Adrienne enregelada.
– Morta?! Mas de quê?

Restac não entende o espanto da esposa.
– Querida, parece que viu um fantasma. Não sei do que a coitada morreu. De alguma doença, sem dúvida. Mas faz muitos anos. Gustave está casado com seu trabalho, você sabe muito bem...

– Não, eu não sei! – responde Adrienne, febril, caminhando na direção das maquetes com passo firme.

Restac dá de ombros. Adrienne e seus humores, como sempre. Ela tem um temperamento intempestivo que se inflama sem razão. Mas não será uma de suas "pequenas crises" que estragará aquele dia. Ele alcança Adrienne, pega seu braço e os dois caminham até as maquetes.

Algumas são extravagantes! Como a guilhotina gigante que supostamente glorificaria o centenário da Revolução.

– Se é isso que devemos guardar de 1789... – estremece Adrienne.

– Além de cortar cabeças, aquela carnificina serviu para alguma coisa?

Adrienne revira os olhos, mas sorri: embora seja muito íntimo da República, seu marido sempre foi um reacionário. Sem falar que boa parte de seus ancestrais acabara no cadafalso e que ele descendia do único ramo dos Restac que teve a prudência de se exilar na Inglaterra.

O casal segue em frente, Adrienne e Restac passam de mesa em mesa, às vezes se vendo obrigados a empurrar as pessoas, como se estivessem num bufê. As maquetes são extremamente minuciosas e exigem um exame de perto.

Eles se veem diante de uma coluna de pedra com janelas e balcões, da base até o topo. Ao pé do edifício, uma construção mais larga exibe orgulhosamente seu nome: "Hospital militar para os pulmões de nossos soldados".

– Quem frequentará o local: os soldados ou apenas os seus pulmões? – pergunta uma senhorinha ao marido, com seriedade.

– Creio que os soldados deixarão seus pulmões para tratar, mas esperarão em casa.

Expressão admirada da senhorinha.

– O que essa ciência faz, convenhamos...

Os Restac não conseguem impedir-se de rir e passam para o próximo projeto: uma grande esfinge, como a do Cairo.

– Qual a relação com Paris? – espanta-se Antoine.

Adrienne olha para a estátua com distanciamento, perdida em devaneios. Seu marido prefere vê-la assim do que rispidamente enérgica, como há pouco. Sua atenção parece despertar diante da estátua de uma mulher com o barrete frígio atravessando o Sena. Seu nome é ridículo: "A Marianne do rio".

– Léon, veja, ela está completamente nua! – choca-se a senhorinha, que não sai mais de perto dos Restac.

Seu marido fica menos chocado. Ele observa a maquete e se imagina passando de barco embaixo da estátua. Seus olhos se tornam lúbricos.

– Esse senhor gosta de espacates – murmura Restac no ouvido de Adrienne, que ri, mas replica:

– Que Paris seja poupada disso...

Eles chegam a uma bela coluna de pedra que lembra a da Bastilha. Ela parece um empilhamento de andares com colunatas, que culminam num gigantesco farol.

– É o projeto de Bourdais, o grande rival de Gustave.

Adrienne analisa a maquete com excessivo desgosto.

– É horrível.

– Talvez, mas essa torre tem muitos apoiadores. Bourdais é o autor do Palais du Trocadéro, do outro lado do Sena. Seria natural sua coluna ficar de frente para ele, no Champ de Mars. Além disso, ele quer construir um farol que possa iluminar toda Paris: a ideia é bonita, não?

Adrienne fica desagradavelmente surpresa com o tom do marido.

– Parece que você gosta do projeto...

– Bourdais tem talento, só isso.

– E Gustave? Você virou a casaca?

Restac adora a esposa! Embora pareça distante, em seu próprio mundo, é a mais envolvida dos dois.

– Gustave é diferente: ele vai ganhar.

A resposta faz as bochechas de Adrienne corarem. Seu marido parece tão seguro de si. Ele se aproxima dela e pousa um novo beijo – leve, furtivo – atrás de sua orelha.

– Gosto de Bourdais porque tenho um fraco pelos vencidos. Meu lado "reacionário"...

De repente, o burburinho se intensifica, como se uma ameaça pairasse sobre todos.

– O que está acontecendo? – pergunta a senhorinha.

Seu marido olha para todos os lados.

– O júri vai revelar o resultado do concurso...

Antoine agarra a esposa e a empurra à sua frente.

– Venha! Veremos o resto depois...

A poucos metros de distância, do outro lado de uma das mesas, o clã Eiffel aguarda com nervosismo.

Na garganta de Adrienne, o nó parece se apertar.

Mas é tarde demais para recuar.

***

Como fazer de conta, mas como não olhar? Os olhos dos dois parecem imantados, mas eles precisam fingir, simular indiferença, não transparecer nada. Hoje, *exatamente hoje*, ele precisava vir com ela? A não ser que tenha sido ideia de Adrienne, maneira toda sua de se vingar da hostilidade que ele demonstrara durante o jantar com os Lockroy? Mas ela parece tão constrangida quanto ele. Ele a conhece muito bem: aquele olhar não o engana. Ela está triste e temerosa. Antoine sem dúvida insistiu para que viesse e ela não soube dizer não. Ele precisa se manter acima de todas as críticas e suspeitas, agir com cortesia, distanciamento. Aquele dia está voltado para o futuro, para aquela grande torre portadora de sonhos, e não para lembranças que ambos esperavam esquecidas.

— Até Adrienne está nervosa — diz Restac, que sente a mulher agarrando-se a seu braço.

Eiffel se força a sorrir, mas lê muitas coisas no rosto de Adrienne. O nervosismo é apenas um detalhe.

Claire se aproxima.

— Vai começar, papai?

A filha do engenheiro nota então a presença daquela mulher que a encara.

— Esta é Claire, minha filha. E colaboradora. Adrienne é a esposa de Antoine...

— Bom dia, senhora — diz Claire, inclinando a cabeça, pouco à vontade diante daqueles grandes olhos de gato que parecem devorá-la.

— Deve estar muito orgulhosa de seu pai, senhorita.

Felizmente, sua voz é mais doce que seu olhar. Tem um timbre quente, carinhoso.

— Bastante, sim — responde Claire com malícia.

— E eu dela — acrescenta seu pai, passando o braço em volta de seus ombros. — Claire é meu amuleto da sorte...

Quando ele a beija, fechando os olhos, Adrienne vira o rosto momentaneamente.

– A senhorita é encantadora, Claire. Posso chamá-la de Claire?

– Claro – responde a jovem, exagerando sua amabilidade, pois aquela mulher a assusta.

Mas todos estão assustados. O ar se torna pesado. Enquanto o resultado do maldito concurso não for divulgado, tudo soará falso. Por isso melhor calar-se e esperar em silêncio.

Sem se despedir, Claire vai ao encontro das três crianças que correm em torno do bufê com seus copos de suco de laranja.

Gustave sorri com tristeza.

– Eu gostaria de ser tão despreocupado quanto eles...

– Você sabe que não tem nada a temer – afirma Restac, dando-lhe um tapinha no ombro.

Eiffel continua receoso; ele sempre detestou cantar vitória antes da hora. Não por superstição, mas por respeito à grande incerteza das coisas. Eiffel é um homem de números, estatística, cálculos.

– Talvez eu não tenha nada a temer, mas o projeto de Bourdais agradou bastante. Sua torre, no entanto, é inviável: uma massa como essa exigiria fundações gigantescas, que desequilibrariam o bairro todo.

Com uma ponta de crueldade, Restac afirma que aquela torre é sua grande rival.

– O presidente Carnot sempre adorou o Palais du Trocadéro...

Restac vê o amigo desmoronar e Adrienne belisca seu braço, cada vez mais nervosa.

– Mas não seja por isso – ele se corrige. – Basta você colocar um farol no alto de sua torre, e pronto.

Aquela constatação não tranquiliza nem um pouco o engenheiro. A tensão se torna palpável em todos os salões do Ministério. O rosto de Eiffel estremece com tiques, suas mãos mergulham compulsivamente no fundo de seus bolsos e ele precisa fazer força para evitar o olhar de Adrienne, que faz o mesmo. Quando seus olhos acabam se cruzando, ela crê ler em seu rosto um "Afaste-se, suplico-lhe". Mas assim que ela começa a recuar, seu marido a detém.

– Aonde vai?

– Buscar... champanhe – ela improvisa.

Restac aperta sua mão e aponta para uma grande porta que acaba de se abrir, do outro lado da sala.

– Tarde demais. Fique aqui, vai começar.

Um funcionário do Ministério avança com arrogância.

– Senhoras e senhores, o júri!

Gustave tem a sensação de que seu coração vai explodir.

***

Eiffel está tão tenso que não consegue reconhecê-los. Ele tem a impressão de estar diante de um exército de gêmeos idênticos que aos poucos se instala no grande estrado. Os mesmos das embaixadas, da Assembleia, do Conselho de Paris: as mesmas barbas, as mesmas casacas, as mesmas condecorações...

O público se aproxima do estrado, enquanto os membros do júri se sentam em cadeiras dobráveis, afetando certa empáfia. Com o movimento da multidão, Eiffel é empurrado para a frente do "palco".

Um perfume lhe acaricia o rosto.

– Vai dar tudo certo – murmura uma voz.

O engenheiro sente a presença de Adrienne. Seus ombros se tocam. Suas coxas se encostam. Ele olha para o outro lado e vê Antoine, um pouco afastado, ao pé de uma coluna, escrevendo num bloco de notas. Antoine ergue os olhos e dá uma piscadela tranquilizadora ao velho camarada. Contra sua vontade, Gustave se sente aliviado. Embora tudo possa desandar, sentir a aura suave, quente e benevolente de Adrienne acalma seus temores. Ele se sente protegido.

O último membro do júri, o presidente, entra.

Gustave reconhece o bigode do ministro Lockroy, que olha para a multidão com satisfação – os poderosos vivem por sua imagem junto ao público – e passa por Eiffel sem se deter.

– Senhoras e senhores – começa o ministro do Comércio, limpando a garganta.

Gustave sente a tensão crescer novamente. Por que ele não lhe sorriu? Seria um sinal? Ele o vira?

Adivinhando sua angústia, Adrienne se aproxima ainda mais. Sua presença se torna ardente. Suas mãos se tocam e, num gesto instintivo, Adrienne recolhe o braço. Gustave sente que o soltam no vazio.

– Por nove votos a três – retoma Lockroy –, o vencedor é...

Cruel, o ministro deixa a dúvida no ar. Na sala, o público suspira, animado. Gustave Eiffel está mais branco que uma mortalha.

– ...o projeto da torre de trezentos metros, dos Empreendimentos Eiffel...

Uma chuva de rosas. Um furacão de violetas. Uma grande nuvem perfumada que invade a sala, a cidade, as mentes. Bruscamente, tudo se torna evidente, de uma obviedade infantil.

A sala inteira exclama um "Ah!" que confirma a escolha do projeto favorito do público. Claire se atira no pescoço de Adolphe Salles, que estava presente desde o início da cerimônia, um pouco afastado. Compagnon faz uma dança disparatada com as três crianças, que haviam soltado seus copos de suco.

E então eles trocam um olhar. Um olhar que eles nunca pensaram que trocariam de novo. Cúmplice, afetuoso, de uma doçura inebriante. Mesmo depois de todos aqueles anos, mesmo depois da dor, das decepções, das cicatrizes, eles estão ali, juntos, lado a lado, naquele dia. Se alguém tivesse dito a Gustave que no dia em que sua carreira desse uma grande guinada ele compartilharia aquela alegria com a única mulher que...

Mas ele para de pensar. As palavras são inúteis. Sentir os dedos dela se enroscando nos seus substitui todas as palavras, todos os sons. Adrienne aperta sua mão como se nada pudesse separá-los.

Nada... menos um olhar.

Dois olhos fixos naquele simples gesto. Na cabeça de Antoine, tudo se precipita. Como? O que ele deixou passar? Que detalhe escapou à sua sagacidade? Seu trabalho é observar, decifrar, e seus artigos são elogiados por sua incisiva precisão. Mas ali, embaixo de seu nariz...

Não, é impossível! A multidão é que lhe pregou uma peça, uma ilusão de ótica. Antoine de Restac avança, mas as mãos continuam enlaçadas. Só quando Lockroy desce do estrado é que os dedos se separam.

– Eiffel! Estou muito feliz pelo senhor.

– Não mais do que eu, senhor ministro.

Reconhecendo Adrienne, Lockroy beija sua mão.

– Mas onde está seu marido? O sucesso de Eiffel não seria nada sem ele.

– Estou aqui, Édouard – diz Restac, que se aproxima e cumprimenta o ministro com seu imperturbável sorriso mundano. Antoine vem de um mundo onde todos sabem fingir. Depois, sem olhar para Adrienne, ele se volta para Gustave e o abraça.

– Meu amigo, você viu que mantive minha palavra...

Gustave está embriagado demais com sua própria glória para perceber a ironia de suas palavras.

– Obrigado – agradece o engenheiro, com sinceridade.

Restac sente abraçar uma serpente.

22

Paris, 1886

— Essa vitória é de vocês! É graças a vocês que os Empreendimentos Eiffel adquiriram uma experiência mundialmente inigualável!

É sua vez de estar num estrado e dirigir-se a todos. Ele sempre gostou disso. Embora deteste os fingidores e as divas de tribunal, Gustave adora ter um público na mão, assim como gosta de ler a admiração e a incompreensão dos passantes diante de suas construções. Quantos moradores de Ruynes não o questionaram a respeito do viaduto de Garabit, cujo arco aracnídeo já anunciava os arcos de sua futura torre?

— Senhor Eiffel, como fez isso?

— Uma coisa dessas nunca vai ficar em pé!

Gustave evitava o assunto, mantinha-se enigmático, como um ilusionista a quem as pessoas perguntam de onde saiu o coelho.

Aliás, a famosa torre de trezentos metros que ele se comprometeu a construir em menos de dois anos para a glória da França ficará em pé?

Ele precisa ter certeza disso, pois esta é a única condição que fará com que sua equipe caminhe com ele. E todos estão ali, a seus pés, reunidos no pátio central dos Empreendimentos Eiffel. Gustave devia a eles aquela celebração, que coroa meses de trabalho e estudo... mas anuncia obras extenuantes! Gustave quer marcar a ocasião, encorajá-los, inflamá-los. Por isso subiu naquele reboque coberto de nomes exóticos – Tonquim, Senegal, Brasil –, levado até o meio do pátio.

– Ninguém jamais tentou fazer o que vamos empreender. Seus filhos, e os filhos de seus filhos, se lembrarão com orgulho que vocês trabalharam nessa obra, nessa obra que é de *vocês*...

A ideia de posse desperta uma onda de entusiasmo entre os operários.

– *Nós* vamos construir um sonho – retoma o engenheiro. – Vocês, eu, todos juntos!

Os homens gritam vivas, atiram os bonés para os ares. Todos se abraçam.

Gustave pula do reboque como um jovem, pois não tem um minuto a perder.

Enquanto os operários esvaziam seus copos de vinho argelino, Gustave faz um sinal a seus colaboradores. Compagnon, Adolphe Salles, Nouguier e mais alguns acorrem, surpresos que Eiffel encerre tão rápido aquele momento de alegria.

– Poderia ter nos deixado terminar nossa bebida, Gustave – diz Compagnon, que limpa os lábios com a manga.

– Temos dois anos! Beberemos quando chegarmos aos trezentos metros de altura, não antes.

Os outros olham para ele, achando graça da energia do engenheiro. Ele caminha com pressa, atravessa a fábrica como um general seguido de seu estado-maior.

– As peças serão trabalhadas aqui, enviadas para o canteiro de obras e montadas no local. Precisamos triplicar a capacidade da fábrica.

– Triplicar? – repete Compagnon. – Mas, Gustave, eu...

– Lance a chamada para os elevadores Roux, obviamente, mas também para os americanos.

— Anotado – diz Compagnon, carrancudo, mas que costuma ter essas reações.

— Em relação aos raios – continua Gustave, voltando-se para os outros –, consultem Mascart, no Instituto, e depois Becquerel.

Cada recomendação é registrada, sem que ninguém diminua a velocidade, pois Eiffel segue sua travessia da fábrica.

— Você! O genro!

Adolphe Salles leva um susto.

— Chefe?

— Está encarregado do recrutamento dos operários...

Surpreso com a atribuição de uma missão tão delicada, Adolphe se detém, olha para os lados e repassa mentalmente o projeto da torre.

— Precisaremos de no mínimo mil homens.

— Trezentos, nenhum a mais!

O número cai como um cutelo.

Todos parecem preocupados, mas Gustave sorri diante da surpresa geral.

— Quero os montadores e construtores mais aguerridos. Limpadores de chaminés, equilibristas, peles-vermelhas, se for preciso – ele diz, retomando a caminhada. – Quero homens de boa vontade e que não tenham vertigem; não precisamos de capacidades específicas.

Brandindo uma folha cheia de números, ele diz que seus cálculos vão facilitar tanto a montagem que uma criança de 5 anos poderá construir a torre.

— Cinco anos, nada mais! – preocupa-se Compagnon.

Sem responder, Eiffel se vira para Nouguier.

— Faça com que os cálculos sejam refeitos quatro vezes por quatro engenheiros diferentes. Um da Politécnica, um da Escola Central, um da Escola de Minas, um da Escola de Pontes e Estradas. Não quero nenhum ajuste ao longo das obras.

Lívido, Nouguier toma notas. Embora esteja feliz de ganhar uma bela quantia, ele começa a se perguntar se algum dia alguém ligará seu nome àquela torre da qual ele é o primeiro pai. Eiffel é apaixonado demais, voraz demais para não se apropriar do projeto. Mas isso não é o que fazem os visionários, os construtores?

– Um gabarito para cada peça, em tamanho natural. E uma maquete numa escala de 1/100 aqui na fábrica, construída ao mesmo tempo que a torre.

Apontando para a fábrica com um grande gesto circular, Gustave Eiffel lembra a todos que prefere consertar os problemas ali do que os descobrir lá.

Todos concordam, conscientes de que, apesar da complexidade, aquela é a decisão mais sensata.

– A prioridade das prioridades é a se-gu-ran-ça! Quedas de ferramentas, frio, vento: quero barreiras de proteção, peles de ovelhas para todos os nossos trabalhadores. Não quero nenhuma morte na obra.

Ofegante, ele interrompe sua caminhada e se apoia no corrimão de uma escada, como um maratonista que cruza a linha de chegada.

Ele se vira para Compagnon:

– Agora é com você. Dê a partida em tudo...

Os membros do estado-maior ficam paralisados por um instante, como se tivessem algo a objetar. Mas Eiffel já foi embora...

23

Bordeaux, 1860

– Casar com minha filha? Eiffel?

Louis Bourgès se escandalizou. Saindo da grande poltrona de couro, percorreu seu gabinete a passos largos, como se quisesse fugir daquela ideia.

– Eiffel me pediu para falar com o senhor a respeito, é o que estou fazendo...

Sim, Pauwels estava falando sério. Fora inclusive enviado por Gustave para fazer aquele pedido aberrante! Quinze minutos atrás, ele havia tocado a campainha de sua casa. Bourgès pensara que ele viera fazer uma encomenda suplementar de madeira. O empreiteiro estava constrangido, sem jeito, com o olhar fugidio. Ele também não estava acostumado com uma missão como aquela!

– Mas quem ele pensa que é? – continuou Bourgès, escancarando a janela.

O escritório dava para o jardim e, como que de propósito, os vultos de Adrienne e Gustave avançavam na orla da floresta, de mãos dadas. Ele ficou vermelho ao vê-los e se conteve de chamá-los para poder dispensar o visitante inoportuno. Fazia meses que ele tolerava a presença do jovem engenheiro. Bourgès não conseguia recusar nada à sua filha querida, que em geral se apaixonava por engomadinhos insossos. Gustave Eiffel, ao menos, era outra coisa: os dois homens tinham conversas apaixonadas sobre arquitetura, sobre o futuro da técnica e sobre outros assuntos viris, que eles abordavam à noite, ao lado da grande lareira do salão. Louis Bourgès precisava admitir que também gostava do sujeito, o que não simplificava as coisas. Eiffel era encantador: talentoso, promissor, ambicioso. E fazia seis meses que Adrienne estava tão feliz. A chegada de Gustave trouxera ao lar um equilíbrio e uma suavidade que eles não conheciam havia muito tempo. Com ele, Adrienne crescera, amadurecera e continuava a jovem encantadora de sempre. O engenheiro tratava-a de uma maneira que os jovens que os Bourgès viam com a filha nunca haviam feito. O encontro com Gustave Eiffel fora portanto uma bênção para Adrienne, que passava por uma verdadeira metamorfose. Os Bourgès tinham falado sobre isso várias vezes, à noite, em seu quarto. Aquela plenitude havia inclusive amainado as tensões que às vezes surgiam entre Louis Bourgès e a esposa, pois eles costumavam brigar bastante a respeito da filha, a personalidade de Adrienne era sempre motivo de discórdia. Os dois admitiam que Gustave Eiffel fazia bem a Adrienne; mas daí a se tornar seu genro...

No jardim, os namorados se beijaram e Bourgès desviou o olhar, furioso.

— E por que ele enviou o senhor? Poderia ter tido a coragem de me enfrentar diretamente, não? Quando um soldado vai para a guerra, leva uma flor no fuzil...

Diante daquelas palavras duras, Pauwels se enterneceu.

— Porque ele sabia que o senhor diria não.

— E como! — exclamou Bourgès, deixando-se cair na poltrona.

Depois de acender um grande charuto com dedos febris, ele continuou:

— Ele pensou que o senhor saberia me convencer? Pensei que a relação de vocês fosse tensa, depois daquela história de afogamento...

Bourgès tinha razão: Eiffel o exasperava. Sua arrogância, seu caráter, a maneira com que sempre defendia os operários, mesmo sem sinceridade. Mas Eiffel era um engenheiro de primeira categoria, coisa que todos reconheciam. E Pauwels sempre colocava seus interesses acima de suas afinidades.

— O senhor é um bom pai, mas também um homem de negócios prudente, não é mesmo, sr. Bourgès?

O burguês percebeu um brilho maligno no olhar de Pauwels. Algo lhe disse que naquele pedido de casamento também havia uma transação.

— Explique-se, Pauwels... — ele pediu, soprando grandes espirais de fumaça que se dissolviam no painel decorativo que cobria a chaminé, representando uma cena campestre com dois namorados, semelhante ao alegre casal visto pela janela.

— Como o senhor constatou, Gustave Eiffel é um homem intenso, às vezes furioso...

— Isso não me tranquiliza, de fato...

Lançando um olhar para o casal no jardim, Pauwels acrescentou que se Bourgès recusasse o pedido de casamento, Eiffel seria capaz de deixar as obras pela metade.

— E eu preciso terminar uma ponte...

Bourgès ainda não entendera aonde o empreiteiro queria chegar.

— E por isso eu deveria vender minha filha?

— Claro que não — disse Pauwels, constrangido. — Trata-se de ganhar tempo. Quando a obra estiver pronta, o senhor dirá a Eiffel que mudou de ideia, ou que sua filha não quer mais saber dele...

Bourgès manteve a circunspecção.

— Isso poderia partir seu coração.

Pauwels deu de ombros.

— De Eiffel? E daí?

— Estou falando de minha filha!

Pauwels levou um susto, pois Bourgès dera um grande soco no braço da poltrona. Sua voz fizera os três pássaros que estavam pousados numa trepadeira alçar voo. Do jardim, os namorados olharam para a casa.

— O senhor tem filhos, Pauwels?

— Não.

— Agora entendo melhor...

Bourgès fumava seu charuto com raiva contida.

Não podendo perder Eiffel, Pauwels lançou sua última cartada:

— O senhor não deixará de ter uma contraparte.

A cor voltou ao rosto de Bourgès.

— Fale mais.

— Até agora, tive três fornecedores de madeira: o senhor, os Baude e os Huairveux.

Um sorriso matreiro surgiu no rosto do burguês. Os números dançavam em sua cabeça.

— O senhor me fará seu único fornecedor?

Pauwels assentiu, enquanto Bourgès se levantava para oferecer-lhe um charuto.

— Único e exclusivo.

Enquanto Pauwels se acomodava numa poltrona, aliviado e satisfeito, observando a fumaça daquele charuto tão relaxante, Bourgès abriu a janela.

— Adrienne! Gustave! Venham aqui! Tenho a impressão de que andaram me escondendo algumas coisas. Ainda bem que temos o fiel Pauwels para bancar o mensageiro...

Gustave pegou a mão de Adrienne e eles correram até a casa.

24

Paris, 1886

Os jardins do Ministério estão magníficos. O fim da primavera oferece uma sinfonia de flores, aromas e cores. As tendas dispostas sobre a grama combinam com o roseiral: seus tons pastéis destacam a beleza das senhoras e a elegância dos senhores. O bufê, por sua vez, está cheio de delícias. Édouard Lockroy sabe fazer as coisas! Se não fosse um esteta, teria escolhido outro projeto? Seu coração teria pendido para a desengonçada coluna de Bourdais ou da ridícula guilhotina gigante? Agora, Gustave ri dos outros projetos. Ele é o único em cena e pode navegar sem medo. Aliás, ele gostaria muito de voltar ao trabalho. As mundanidades tiveram sua razão de ser antes do concurso; agora que foi escolhido pela República, Eiffel tem mais o que fazer do que beijar mãos e fazer mesuras. Se Restac não tivesse insistido, ele estaria no ateliê.

– Gustave, Lockroy organizou essa *garden-party* para você... Você é seu herói... Não seja ingrato...

– Não sou herói nem ingrato: tenho prazos a cumprir. Estamos em meados de junho e as obras começam em primeiro de janeiro. Tenho seis meses para verificar, ajustar, recalcular, antecipar tudo... Então se você acha que tenho tempo para bebericar champanhe...

– Você terá tempo, porque não tem escolha – Restac dissera, encerrando a discussão.

Depois, o jornalista acrescentara que levaria a esposa.

Como Restac temia, aquilo logo convencera o engenheiro.

Antoine não reagira, mas suas impressões se confirmavam cada vez mais...

E agora Eiffel percorre o jardim do Ministério, escondido dos impertinentes, à espreita da chegada dos Restac. Faz meia hora que ele foge de todos os desconhecidos que o parabenizam (e que se mostram surpresos com sua frieza; esses artistas, francamente...). Até Lockroy vem falar com ele.

– Veja bem, Eiffel: organizei esta pequena festa em sua homenagem, mas o senhor está com uma cara de enterro...

– Desculpe-me, senhor ministro, estou tão mergulhado em meus cálculos que sinto dificuldade de fazer qualquer outra coisa.

Lockroy dá um tapinha em suas costas e lhe estende uma taça de champanhe.

– Beba, senhor engenheiro. "O vinho dissipa a tristeza", como canta tão bem a ópera.

– Não estou triste...

– E eu sou desafinado!

O ministro do Comércio explode numa gargalhada e se afasta na direção de outros convidados, a quem ele sinaliza para deixarem Eiffel em paz.

Então eles chegam...

Gustave fica admirado com Adrienne. Com os anos, sua beleza se consolidou, mas também se afinou. Embora muitas mulheres sofram com dolorosa fatalidade a passagem do tempo, este parece não ter tido nenhuma influência sobre ela. Ao pensar em Adrienne, enquanto encarnava sua torre, sua memória se mostrara correta. A silhueta é a mesma, e também o olhar, a segurança, as costas eretas de dançarina. Seus cabelos estão mais encorpados, mais macios. Parece impossível que Adrienne de Restac tenha a mesma idade daquelas senhoras de véu que se empanturram de bombas de creme, coladas ao bufê. Quando Eiffel olha para seus maridos, ele vê senhores de sua idade e de Restac. Qual o segredo de Adrienne? Mais um feitiço, como ela gostava de se vangloriar em Bordeaux, o olhar em brasa? Eiffel nunca saberá, mas vinte e sete anos se passaram e a pequena Bourgès está mais bonita do que no primeiro dia em que ele a viu.

– Gustave, eu sabia que você viria... – diz Antoine, aproximando-se. Virando-se para a esposa, ele diz, com uma careta ácida, que, sob aquele jeito de urso, "ele é o mais mundano dos parisienses"...

Aquilo irrita Eiffel, que há algum tempo vem achando Restac mais distante, menos bem-humorado. Agora que venceu sua aposta – fazer com que o projeto da torre fosse escolhido –, o jornalista deve ter se cansado daquele jogo. Será que ele o verá menos dali por diante? Uma parte de sua consciência fica aliviada: ele finalmente poderá ter paz; a outra parte sente um aperto no coração.

Adrienne é a mesma de sempre: impassível, impenetrável. Gustave ainda sente o calor da mão dela na sua, ali mesmo, há quinze dias.

Ela vira a cabeça para o gramado central e seus olhos de gato se iluminam:

– Vejam! Há até uma orquestra!

Num pequeno estrado, de fato, uma dezena de músicos afinam seus instrumentos.

– Meus amigos! – diz Lockroy, antes de bater palmas: – Música!

Enquanto a orquestra toca os primeiros compassos, o ministro caminha até seu convidado de honra com uma mistura de severidade e bonomia.

– Eiffel, o senhor precisa abrir a dança...

Subitamente embaraçado – Gustave sempre detestou dançar –, o engenheiro olha em volta: todos os casais parecem à espera de que o rei da festa pise na pista para se autorizarem a segui-lo.

Eiffel se sente corar.

– Não estou lhe pedindo a lua, Gustave. Embora ela pareça mais fácil...

Acuado, Eiffel se volta para Adrienne, que ele sente febril desde as primeiras notas da valsa.

– Senhora? – ele convida, num tom exageradamente cerimonioso.

Com um breve olhar, ela pede permissão ao marido, que empalidece, mas assente. Nem Gustave nem Adrienne notam seus olhos de fogo, que os seguem enquanto eles se dirigem à pista de dança, observados por uma multidão benevolente.

– Adrienne parece ainda mais bonita que de costume – diz Lockroy, não sem amargura. – Você tem sorte de ter uma mulher feliz...

Restac não responde e coloca as mãos nos bolsos. Depois, olha para a primeira mulher que se aproxima e a convida para dançar.

Gustave e Adrienne não se falam. Eles apenas se encaram, comovidos e intimidados com o fato de estarem tão próximos, de se tocarem, de se abraçarem, e de poderem fazer isso. Os dois reconhecem os famosos *Patinadores*, de Waldteufel, a valsa que rodava o mundo há alguns anos. Não há festa ou jantar em que alguém não assobie aquela valsa, ou em que alguém não a toque ao piano ou a cantarole. E eles de fato têm a sensação de estar patinando na pista de madeira clara onde seus pés se procuram, suas pernas se entrelaçam, seus corpos rodopiam, com um desembaraço que os surpreende.

– Eu não sabia que você dançava... – murmura Adrienne, que não para de olhar em volta, às vezes cruzando com o olhar vazio de seu marido, que parece dançar com uma boneca de pano.

— Em vinte e sete anos, tive tempo de aprender...

A resposta de Gustave faz Adrienne estremecer. Ele a sente tensa e aperta seu abraço, desce a mão até sua cintura, seu quadril, e sente seu corpo cada vez mais quente.

— Estamos sendo observados, Gustave.

Mas Gustave não se importa. Adrienne está ali, em seus braços, mais viva do que nunca, tão jovem e verdadeira quanto em Bordeaux. Seu perfume é o mesmo: uma mistura de âmbar e rosa. Sua pele, tão doce, quase não marcada pelo tempo, parece desabrochar quando seus dedos a tocam. E sua respiração, tão perto de seu rosto, exala um hálito que ele reconheceria em mil e que sempre lhe lembrou o perfume da amora ou da framboesa. Todo o seu corpo era daquele jeito, aliás: frutado, saboroso. Pensando assim, Gustave sente crescer um desejo que corta sua respiração e crispa todos os seus músculos. Ele contrai seus dedos sobre o corpo de Adrienne, que estremece e arqueja suavemente.

— Melhor pararmos de dançar — ela murmura.

Ela coloca uma mão em seu peito para empurrá-lo, mas acentua seu desejo. Eiffel se sente ferver, seus lábios tremem. Agora os dois se encaram, como se precisassem se enfrentar. Eles não conseguem ver Antoine, que valsa por perto e espia a cena com temor e incompreensão. O que ele vê o desconcerta: depois de acariciar seu peito, Adrienne aproxima ainda mais seu corpo do de Gustave.

Os dois dançarinos têm consciência de seus gestos, da imagem que passam? Mas ninguém os vê. Com exceção de Restac, todos os presentes estão inebriados de Waldteufel, concentrados em seus próprios passos e em seus próprios arabescos.

Quando um casal passa de raspão por eles, Adrienne volta a si.

— Vamos conversar, por favor — ela acaba dizendo, num tom que lhe soa falso.

Após um breve silêncio, Gustave esboça um sorriso igualmente fictício.

– Como vão seus pais?

Adrienne cerra os dentes.

– Não faço a menor ideia. Não falo mais com eles.

Gustave contém um sorriso satisfeito. Ele poucas vezes detestou tanto um casal, um meio, uma casta. Saber que Adrienne se extirpara de lá o enche de satisfação.

Eles avistam Antoine, que continua dançando e abre um sorriso desajeitado.

– Você o ama?

Nos braços de Gustave, Adrienne se retesa novamente. Seu rosto continua impassível, mas quando Eiffel a aperta com mais força, um calor sobe de seu ventre até seus lábios.

– Você está tremendo – diz Eiffel.

– Pare.

Mas eles continuam aquela valsa interminável, que é um suplício e uma volúpia.

Quando chegam os últimos compassos, e enquanto os dançarinos aceleram o passo para o galope final, Eiffel se aproxima do ouvido de Adrienne. Sua voz sai entrecortada, coberta pelos pizzicati dos violinos.

– Escute... escute bem... Conheço uma pensão, em Batignolles. *Les Acacias*... Ela é muito fácil de encontrar. Venha me ver. Quando quiser. Estarei esperando...

Para Adrienne, aquilo é demais.

– Chega...

Antes mesmo da orquestra tocar o último acorde, ela recua bruscamente, quase derrubando seu par, que se segura num alto senhor de longos bigodes louros, feliz de servir de apoio ao herói do dia.

A música acaba e os casais se separam com cumprimentos e reverências.

Gustave se inclina diante de Adrienne, que se mantém imóvel, como uma estátua.

– Acabou, Gustave – ela murmura. – Isso é ridículo, não faz sentido. Tenho uma vida, um marido. Me deixe em paz.

Ela gira nos calcanhares e vai ao encontro do marido, que a espera com uma taça de champanhe.

25

Paris, 1887

O ministro está com medo. Ele não diz nada, mas ao entrar no cilindro de metal, seu estômago dá um nó. A cada degrau que seus sapatos tocam, o nó fica mais apertado.

– Rapazes, Lockroy chegando! – diz uma voz sob seus pés, ainda longe.

– Desculpe-os – diz Eiffel, que se diverte com aquela familiaridade. – Meus operários passam doze horas por dia embaixo da terra, às vezes perdem o senso do respeito...

– Não se preocupe... – murmura Lockroy, que levanta os olhos para Eiffel, que também está no cilindro.

Édouard Lockroy não quer saber de respeito. Ele se pergunta por que aceitou visitar aquela obra, que começou há poucos meses, em pleno frio de fim de inverno. Eiffel poderia ter esperado as primeiras estruturas saírem da terra. O ministro gosta de belas vistas, não de cavernas. Ele não tem vertigem e adora ser fustigado pelo vento, mas sempre detestou porões e subterrâneos. Ele se recusa a entrar em elevadores. No entanto, precisa parecer confiante, pois vários repórteres o esperam na superfície, prontos para as perguntas e fotografias daquela visita.

"Se é que vou sair daqui...", pensa Lockroy, sentindo seu pé no vazio.

– Deixe-se escorregar, senhor ministro.

Dois homens seguram suas pernas e o ajudam a aterrissar no chão do caixote.

Chão? Melhor dizer uma lama argilosa, pegajosa, colante, tão úmida quanto o ar saturado daquele lugar à meia-luz.

Quantos eles são? Vinte, talvez? A maioria não presta nenhuma atenção ao visitante engravatado de botas combinando com o paletó. Ali, cada operário cumpre sua função. Alguns cavam o solo, outros carregam terra, outros enchem os baldes que são puxados por uma corda no duto central.

Lockroy aperta os olhos para se acostumar à penumbra. Uma simples lamparina de acetileno ilumina o espaço, mas todos parecem se contentar com ela. Todos trabalham, ninguém fala. Para quê? Aquelas máquinas fazem um barulho infernal!

Eiffel aterrissa a seu lado, depois mostra ao ministro os detalhes de seu caixote hidráulico, com especificações técnicas que não interessam nem um pouco a Lockroy. A única coisa que ele quer é voltar à superfície.

– Se o caixote afundar – ele grita –, não será perigoso?

– Sim, mas é a única maneira. Precisamos cavar mais rápido do que o afundamento.

Vendo que a resposta preocupa o ministro, Eiffel coloca o dedo na frente da garganta.

– Engula sua saliva com frequência. O ar é muito seco aqui.

"Seco?", pensa Lockroy, vendo aquele espaço de solo movediço, absolutamente molhado.

– Em breve os dois pilares do lado do Sena estarão prontos – entusiasma-se Eiffel, fascinado com sua obra.

– Sua máquina é terrível para os ouvidos.

– É o excesso de pressão...

De repente, um grito. Depois, uma aceleração geral dos movimentos. Os olhares se cruzam, inquietos. Muitos se viram para Eiffel, que mantém o sangue-frio. O engenheiro pega o braço do ministro e o conduz até o outro lado do ambiente, a um pequeno estrado elevado.

– Fique aqui!

Lockroy sente-se viver um pesadelo. A água começa a subir por todos os lados! Embora Eiffel mantenha a calma, o ministro vê os operários contendo o medo e olhando para os próprios tornozelos, logo submersos.

– A água do Sena – ele murmura, horrorizado.

Mas Eiffel se dirige sem pressa a um manômetro, cuja pressão aumenta suavemente.

A água começa a refluir na mesma hora, sob os olhares aliviados dos operários.

– Por mais que isso aconteça todos os dias, sempre fico apavorado – diz um operário ao ministro, como se eles se conhecessem desde sempre. Ele lhe oferece a pequena garrafa que tira do bolso:

– Um gole de aguardente?

Sem nem responder, o ministro pega a garrafa e a esvazia em três goles.

– Ah, então fazer política dá sede!

– Peço-lhe perdão...

– Sem ofensa. Sr. Eiffel, acho melhor subir o ministro!

Lockroy lança um olhar de gratidão ao operário, que já voltou ao trabalho. O ministro se acalma quando os dois são içados pelo cilindro.

– Nada tranquilizador, tudo isso. De resto, comecei a receber cartas de pessoas muito preocupadas. Os moradores dos arredores estão furiosos...

Eiffel não pensava ter aquela conversa com Lockroy dentro de um poço.

– Deixe-os falar...

– Leve as queixas a sério, Eiffel – insiste Lockroy.

O céu de Paris lhe parece uma antessala do paraíso. Embora o tempo esteja cinzento, com uma chuva fina de inverno que cai sobre o Champ de Mars, o ministro se sente sob a primavera mais bela. Ar puro! Finalmente!

Os jornalistas acorrem.

– Senhor Lockroy, suas primeiras impressões?

– O que viu lá embaixo, senhor ministro?

– O senhor acredita que a torre resistirá à proximidade do Sena?

– Fale-nos dos caixotes hidráulicos!

Recuperando sua empáfia política, Lockroy olha para os jornalistas com satisfação.

– Essas são questões técnicas às quais somente o senhor Eiffel pode responder.

Ele se volta para Eiffel, que acaba de sair do cilindro. O engenheiro se prepara para tomar a palavra, mas é interrompido por um jovem repórter:

– E as queixas, o que tem a dizer sobre elas? Viu a petição dos artistas que se opuseram à construção da torre?

O rosto de Lockroy se contrai e, covardemente, o ministro se vira para o engenheiro como se dissesse "Eu não disse?".

26

Bordeaux, 1860

A multidão estava de queixo caído. A passarela era uma obra-prima! Eles haviam seguido sua construção de longe, observando-a sempre que passavam perto das obras. Naquele dia, porém, sob o calor de um domingo de agosto, os bordelenses se dedicavam a contemplá-la e se confessavam fascinados.

– Senhor Pauwels, é magnífica!

– Parece uma renda!

– O senhor é um artista!

Pauwels se pavoneava, passando de grupo em grupo para recolher elogios. Toda a sociedade se vestira em roupas de gala para aquela inauguração estival, sob um céu pesado e escuro de fim de verão.

O empreiteiro ouvia um novo elogio quando um dos operários objetou:

– Sinto muito, mas o verdadeiro artista é o senhor Eiffel.

Ele disse isso e apontou para o engenheiro, que se mantinha afastado e observava com certa ironia todos aqueles burburinhos e frivolidades.

– Eiffel? Quem é o senhor Eiffel?

Pauwels afetou uma expressão amável e estalou os dedos para que Gustave se aproximasse.

— Exatamente! Gustave Eiffel é meu engenheiro-chefe. Um jovem cheio de talento, cheio de futuro.

Eiffel se inclinou, mas puxou Pauwels pelo braço. Ele parecia lutar contra uma ansiedade profunda. Desde a manhã, alguma coisa o incomodava, sem que ele soubesse dizer o quê. Deviam ser as tempestades de agosto: ele não gostava daquele peso, como se uma ameaça pairasse.

— A equipe chegou? — perguntou Gustave.

— Sim, estão todos aqui.

— Com suas mulheres?

— Tenho a impressão que sim.

— E o prefeito?

— Acabou de chegar — afirma Pauwels. — Veja, no bufê: está bebendo uma cerveja. Parece estar morrendo de sede!

— Com esse calor, entendo bem — disse Eiffel, puxando o colarinho postiço.

Pauwels ficou surpreso com a agitação do engenheiro.

— Tudo bem, Gustave? Você deveria estar feliz. Sua passarela está pronta. Sei muito bem que os elogios que recebo são destinados a você.

Eiffel ficou surpreso com a honestidade de Pauwels. Aquele reconhecimento ocultaria alguma coisa?

Em torno deles, todos brindavam, comemoravam, operários e burgueses se misturavam. Era uma bela inauguração. Mas Gustave permanecia grave e à espreita.

Um homenzinho de bigode bateu palmas:

— Senhoras e senhores, hora da fotografia! Vou precisar de toda a equipe, na margem, junto ao pilar!

Agitação entre os operários, que entregaram seus copos às esposas, companheiras e filhas, e se dirigiram ao Garonne. As mulheres estavam tão orgulhosas de seus homens!

Pauwels pousou a mão nas costas de Eiffel.

– Venha, Gustave. Essa fotografia vai ser conhecida por toda a França...

Mas Eiffel hesitava em sair do lugar, olhando para a entrada do evento, desesperadamente vazia.

– Vamos! – impacientou-se Pauwels. – Somos os últimos.

– Não podemos tirar a foto sem os Bourgès!

Pauwels tentou se manter impassível, mas não conseguiu. Seu rosto se crispou e seus olhos se tornaram fugidios.

– Venha, estou dizendo...

Gustave estava certo, então: algo estava sendo tramado.

– O que está acontecendo? Por que essa cara? Onde estão os Bourgès?

Pauwels não sabia o que responder. Fazia meses que ele temia aquela conversa, mas não pensava que ela ocorreria ali, no próprio dia da inauguração. Louis Bourgès não lhe facilitava as coisas! Há poucos dias, Pauwels almoçava no jardim da grande propriedade, sob grandes guarda-sóis, em família. Bourgès falava a Gustave como se ele fosse seu futuro genro, e ninguém teria visto alguma simulação naquilo, pois os dois demonstravam verdadeira cumplicidade. O rico bordelense não tivera um filho e se comportava com Gustave de maneira abertamente paterna. A mãe, por sua vez, redobrava suas atenções e sorrisos, embora costumasse ser distante e fria. Pauwels e o casal conheciam o desfecho daquela história. Porém, com o passar das semanas, Louis Bourgès parecia esquecer a realidade do acordo, a ponto de Pauwels começar a ficar em dúvida: teria mudado de ideia? Em certo sentido, aquilo não faria nenhuma diferença para Pauwels: a passarela estava quase pronta, aquela era uma questão privada. Talvez o burguês considerasse o jovem Eiffel, no fim das contas, um bom partido para sua filha, que parecia tão feliz a seu lado, tão realizada. Infelizmente... A ausência dos Bourgès no dia da inauguração da passarela era a prova de que nada havia mudado.

Gustave vivia um triunfo que seria uma traição. E Pauwels lhe daria o golpe de misericórdia.

Ele pegou Gustave pelo braço.

– Venha fazer a foto, Eiffel, por favor.

Mas o engenheiro não se mexia. Em sua boca, havia uma única palavra:

– Adrienne...

Sem argumentos, Pauwels soltou o braço do arquiteto e murmurou numa voz acanhada:

– Sinto muito, Gustave...

Eiffel se retesou e, cambaleando, se dirigiu à saída da construção.

27

Paris, 1887

Mais um dia exaustivo! No inverno, a chuva não ajudava, mas os homens trabalhavam embaixo da terra. No verão, sob o sol, a obra parece estar sendo construída em pleno deserto. Os operários precisam constantemente se refrescar com água fresca, esvaziar seus cantis, torcer os bonés molhados de suor. Quando não está dentro da obra, Gustave trabalha numa pequena cabana construída atrás do pilar noroeste, onde ele reverifica tudo, incansavelmente: os cálculos, as medidas, o encadeamento de cada etapa. A torre tem uma relojoaria extremamente complexa, ela é um temível castelo de cartas que pode ser derrubado pela mínima imprecisão. É isso que preocupa os moradores dos arredores, aliás. Enquanto os trabalhos permaneciam invisíveis, eles aguardavam. Agora que a torre começa a nascer na orla do Champ de Mars, eles não podem deixar de vê-la: o gigantesco pilar que a República impõe a suas janelas de fato existirá. Será o fim da linda vista para as árvores, para o Trocadéro ou para a Escola Militar. Sem contar que ela fará sombra. Roubará seu sol.

Todos os dias, Eiffel precisa enfrentar os furiosos que o interceptam na chegada ou na saída da obra. Há sempre uma ou duas pessoas protestando do outro lado da grade, com um cartaz na mão, bradando sua cólera. Dependendo de seu humor, Eiffel pode ser diplomático ou cortante, mas sempre as manda embora. Então as pessoas escrevem cartas, aos milhares...

– Recebemos umas duzentas hoje... – diz Compagnon, preocupado, esvaziando um saco de juta sobre a mesa de Eiffel.

Gustave se troca atrás de um pequeno biombo – ao chegar em casa, ele não quer abraçar os filhos com roupas cobertas de lama e poeira.

– Dê-me uma amostra...

Com os dentes cerrados, Compagnon abre uma primeira carta.

– O lampadário da vergonha...

Gustave ri, fazendo o nó da gravata.

– Nada mau. O que mais?

– Uma verruga sobre Paris...

Ele dá de ombros.

– Já ouvi antes. As pessoas se plagiam, que pena...

A descontração de Gustave preocupa Jean Compagnon. O engenheiro não leva a opinião pública suficientemente a sério. Com o paletó fechado, Eiffel caminha até a mesa e remexe as cartas com uma careta cômica, como um avaro manipulando suas moedas de ouro. Ele escolhe uma ao acaso, abre o envelope e começa a ler. Compagnon o vê empalidecer, amassar a carta e atirá-la no lixo.

– Não sou muito popular – ele admite, pegando o casaco de um cabide.

– Você sabe que os moradores exigem não apenas a interrupção das obras como também o desmonte completo de tudo o que construímos nos últimos seis meses?

– Eles não vão conseguir nada – responde Gustave, colocando o chapéu e verificando sua aparência num pequeno espelho.

— Não se iluda. Eles já fizeram uma lista de danos e perigos, atestados por matemáticos e geólogos. Estão até calculando o número de mortos que a torre fará ao cair!

Novo esgar irritado de Eiffel, que no entanto não parece preocupado.

— Você deveria ler os jornais — insiste Compagnon.

Gustave se retesa. Os jornais... É verdade que a imprensa parisiense o apoiara por um bom tempo. Gustave acreditara na onipotência de Restac, mas depois que o projeto fora lançado e validado, o jornalista se distanciara. Eles praticamente não se veem desde o ano passado. Em certo sentido, aquilo é bom para o engenheiro: ele precisa colocar toda a sua concentração e toda a sua força interna naquele monstro de metal. Além disso, quando está com sua torre, ele se sente com ela. A simples visão de Adrienne o deixaria transtornado. Claro que ele pensa nela; todos os dias, sabê-la ali, em Paris, na mesma cidade que ele, o tranquiliza e o inquieta, o acalma e o crispa. Mas o que ele pode fazer? A juventude já passou. As dores devem ficar no passado. A única coisa que importa é aquela loucura arquitetônica, aquela verruga, aquele lampadário da vergonha... Não serão algumas cartas de injúrias que o desviarão de sua missão!

— Além disso — retoma Compagnon —, Meunier veio me ver: os rapazes querem um aumento...

Gustave solta o ar com força, cansado.

— Você sabe melhor do que eu que é impossível...

— Ameaçaram fazer uma greve... Dizem que estão arriscando suas vidas, agora que estamos subindo.

Decididamente, ele não será poupado de nada.

Gustave abre a porta de sua cabana e faz um sinal para Jean sair com ele, para que ele possa chaveá-la. Todas as plantas da torre, inclusive a preciosa maquete, estão ali. Os contratempos não devem ser acrescidos de um roubo.

— Eles sempre souberam que subiríamos.

– Saber é uma coisa. Passar os dias como equilibrista é outra...

Os dois homens levantam a cabeça para o gigantesco andaime. A vista é prodigiosa! Como os quatro pontos cardeais, os quatro pilares começaram a sair do solo. Eles lembram esqueletos de animais do passado, que podem ser vestígios de uma época mítica ou invenções de um cientista maluco que quis inventar os primórdios da vida. Aracnídeas, as quatros estruturas sobem ao céu, paralisadas no meio do caminho; elas logo se unirão perfeitamente, para formar o primeiro andar da torre. Vai ser bonito de ver! Às vezes, Gustave fica com lágrimas nos olhos. Saber que ele, o pequeno engenheiro dijonês, oferecerá a Paris, à França, por vários anos, a maior construção do mundo... isso compensa algumas cartas de injúrias, não? Aqueles protestos são os piolhos na cabeça do leão. Ninharias.

Mas Compagnon sempre o traz para a outra realidade do projeto: seu custo.

– Não esqueça a cláusula do Conselho de Paris, Gustave: vinte dias consecutivos de interrupção e precisaremos desmontar tudo a nossas expensas, sem apelação. Portanto, seria bom evitar uma greve...

– Evitaremos, evitaremos – murmura Eiffel, afagando com carinho uma trave de metal. Ele não quer pensar naquilo. Aquele é o trabalho de Jean, justamente. Ele quer sua torre, apenas sua torre.

– Ah, sim, mais uma coisa...

Eiffel começa a se irritar.

– O que foi, agora?

– Temos o Vaticano contra nós.

Gustave explode numa gargalhada. Ele nunca conseguira gostar dos eclesiásticos, guardava dos anos de colégio lembranças de palmadas e penitências.

– Essa é uma boa notícia.

– O papa declarou que a altura da torre era uma humilhação para a Notre-Dame de Paris.

O engenheiro se alegra e chega à saída da obra bem-humorado. A temperatura está agradável – com o entardecer, o calor diminui e o céu de Paris adquire o tom rosado dos crepúsculos de verão.

– O papa deveria nos agradecer: graças a nós, todos se aproximam de Deus...

Compagnon às vezes fica horripilado com o negacionismo de seu sócio. Quando Gustave está determinado, nada o desvia de sua meta. Ele parece cego a certas realidades.

– Você pode vir com frases de efeito, mas isso vai acabar nos trazendo azar...

Eiffel olha para Compagnon com sincera afeição. Faz anos que eles se conhecem e trabalham juntos. Jean continua o mesmo: ansioso, inquieto, exagerado.

– Virou supersticioso, agora?

– Você é que não entende, Gustave. Paris inteira se inflama contra a torre. Lembre-se da petição dos artistas, nos primeiros dias das obras, no inverno passado...

– Artistas! Só pode estar brincando...

– Gounod, Sardou, Dumas, Coppée, Maupassant e mesmo seu querido Charles Garnier. Sim, artistas...

Gustave Eiffel perde a leveza. Embora não se importe com chacotas, ele ficara magoado com aquela petição de caráter oficial e violento que circulara nos meios artísticos parisienses em janeiro. Alguns velhos amigos, como Charles Garnier, haviam criticado o projeto da torre de trezentos metros. A polêmica não prosperara, pois o Estado tinha mais o que fazer com a subida ao poder do general Boulanger e as crises franco-alemãs, mas os salões parisienses haviam falado muito a respeito. Mais uma vez, Antoine, que tantas vezes se infiltrara nas oposições, se mostrara discreto...

– O que eles pensam, esses "artistas"? Que um engenheiro não sabe fazer coisas bonitas porque faz coisas sólidas? Eles não entendem que as verdadeiras funções da força sempre são harmônicas?

– Não é a mim que precisa convencer, Gustave, mas eles...

Dizendo isso, ele aponta para uma pilha de cartazes deixados na calçada, à entrada da obra, por opositores que não tinham coragem de levá-los para suas casas.

Gustave se inclina para pegar um: "Paris não está à venda". Ele o atira sobre um outro: "A torre de ferro-velho".

– E seu amigo Restac? Não era para ele cuidar de tudo isso? Da imprensa, da reputação? Lembre-se de que até a finalização do primeiro andar, ainda estaremos pagando tudo de nosso próprio bolso. O Estado só nos financiará depois...

Gustave fica lívido. Faz semanas que ele recua diante dessa ideia. Ele sempre detestou pedir favores. E ele sabe o que um simples encontro pode provocar. Mas ele não tem escolha.

– Tem razão. Vou falar com Antoine...

28

Paris, 1887

Aquelas máquinas têm futuro? Faz alguns anos que se tornam cada vez mais comuns nas ruas parisienses, divertindo os curiosos e assustando os cavalos. Quantos coices já levaram, aliás? Mais acidentes, portanto...

"É o progresso, senhor Eiffel!", ele costuma ouvir. Gustave quer aceitá-lo, mas aqueles "automóveis" deveriam ser mais rápidos, mais silenciosos, menos imprecisos. Por ora, eles são divertidas curiosidades técnicas reservadas aos ricos.

Os rendimentos de um jornalista não deveriam permitir a compra de um desses brinquedinhos, mas Eiffel lembra do apartamento de Antoine, no parque Monceau. Tudo nele revelava a existência de fortuna confortável, para não dizer opulenta. O automóvel no qual ele o leva para passear no Bois de Vincennes não passa de um luxo entre tantos outros, portanto.

– Confesse que está gostando – diz Restac, saltitando, com as mãos agarradas ao volante.

Gustave prefere olhar para as alamedas do bosque naquela manhã de julho. Ainda há pouca gente nas ruas, apesar do belo dia de sol. Ele avista passantes aqui e ali, casais que se beijam, famílias que preparam um piquenique na grama. Aquele lugar é uma verdadeira floresta às portas de Paris, e Gustave pensa que deveria visitá-lo mais. Frequentador do Bois de Boulogne, ele considera Vincennes um parque menos engessado. Os passantes correm ao vê-los, sobressaltados, ao passo que em Boulogne os automóveis são mais frequentes.

– Puxa vida! – exclama um garotinho a seu camarada.

Os dois apontam para o automóvel, sem entender do que se trata.

Restac cora de orgulho e sorri a Eiffel. É a primeira vez que ele sorri desde que eles se encontraram. Até então, Antoine se mantivera frio, só falara do carro. Eiffel quisera vê-lo em sua casa, mas Antoine sugerira encontrá-lo na Place de la Nation. Gustave sentira um aperto involuntário no coração. E também ficara decepcionado de não ver Adrienne quando o carro surgira na grande praça circular. Mas por que ela estaria junto? Eiffel dissera que precisava falar sobre seu trabalho, seus projetos.

Assim que ele subira no automóvel, Antoine demonstrara frieza, quase hostilidade. Gustave era orgulhoso demais para lhe perguntar o motivo. Adrienne teria dito alguma coisa? Eiffel estava convencido de que não. Dizer o quê, afinal? Evocar um amor de trinta anos atrás? De nada serviria despertar lembranças ruins. Para Gustave, Restac apenas cansara daquele passatempo: Eiffel e sua torre não o divertiam mais. Mas o engenheiro precisa do jornalista. Hoje mais do que nunca.

– Ninguém quer colocar um tostão na torre – adverte Antoine, a quem Gustave acaba confessando seus problemas. – Vai precisar finalizá-la com seu próprio dinheiro...

– Acha mesmo?

– Todos têm medo do escândalo...

A palavra lhe parece absurda.

– Que escândalo? Não há nenhum escândalo.

Restac olha para Eiffel e diz num tom divertido:
– Parece que você fez alguns inimigos...
– Os bancos me abandonam – confessa o engenheiro.
– Você sabe desde o início que o empreendimento é arriscado.

Por que aquela frieza? Aquela recusa manifesta de lhe estender a mão? Alguns artigos e a opinião pública poderiam mudar as coisas. As pessoas são como ovelhas...

– Estou na corda bamba, Antoine. Se tivermos qualquer problema na obra, a empresa irá à falência...

Expressão fatalista de Restac, que esfrega o volante como se quisesse lustrá-lo, satisfeito com seu brilho.

– É lamentável, concordo...

Decididamente, Antoine faz ouvidos moucos de propósito. Mas Gustave não quer se dar por vencido. Fingindo a mesma descontração, ele deixa seu olhar se perder no bosque. Avista um casal abraçado saindo de um bosque e voltando a ele. Então pergunta:

– Você pode fazer alguma coisa?

Restac mantém os olhos fixos na estrada, sem pestanejar, como se acabasse de ver um fantasma.

– Posso fazer muitas coisas – ele diz num tom neutro, como um médico anunciando uma má notícia.

Gustave estremece.

Quando ele está prestes a voltar ao ataque, o carro para bruscamente.

– Merda! – exclama Restac, saindo do carro e examinando o motor, desnorteado. – Desregulado...

Gustave desce por sua vez e tenta ajudá-lo. Mas ele não entende nada daquela mecânica toda.

Uma nuvem passa na frente do sol, mudando a atmosfera do local. As árvores se tornam menos amistosas, o ar mais ameaçador. Não há vivalma nos arredores.

– Não se preocupe – diz Antoine, numa voz sinistra –, se cruzarmos com bandidos, tenho o necessário...

Dizendo isso, ele afasta uma aba do casaco e Gustave vê a coronha de um revólver...

– Você sai por aí com isso?

Restac não responde, mas encara Gustave com intensa agressividade, depois mergulha nas entranhas do automóvel.

– Acho que sei o que é...

– Vai voltar a funcionar, você acha? – preocupa-se Eiffel.

Antoine encolhe os ombros e estende uma manivela ao engenheiro.

– Espero que sim, vamos tentar... Gire, vou tentar ligar o motor.

Gustave constata a que ponto é difícil dar a partida num automóvel. Ele precisa girar umas quinze vezes a manivela enfiada na proa do carro, a ponto de quase deslocar o ombro. Quando o motor finalmente arranca, Eiffel está ofegante, com o braço dolorido, e recua para deixá-lo passar. O carro parte aos solavancos.

Curiosamente, Restac não diminui a velocidade.

– Antoine, espere!

O automóvel acelera, sem que seu motorista se digne a olhar para trás.

Gustave poderia alcançá-lo, mas para quê?

Agora tudo fica claro: Antoine de Restac *sabe*.

29

Bordeaux, 1860

Bourgès estava parado no alpendre de sua casa, como um ogro na frente de seu castelo. Ele sabia que Eiffel viria e que ele precisaria cumprir seu papel, sem a menor alegria. Ele ainda tremia ao lembrar da cena da véspera, com Adrienne. Mas ele não podia demonstrar fraqueza, era tarde demais. As coisas se precipitaram e ele não podia dar pra trás.

A dimensão financeira do acordo com Pauwels parecia subitamente trivial; quase obscena, aos olhos do que acontecera. Embora Bourgès estivesse decidido há muito tempo, os fatos o obrigavam a uma escolha dolorosa, que era a mais razoável. Sem contar que Adrienne merecia algo melhor. Ela era sua filha única e não seria aquele Eiffel que ficaria com o negócio, as propriedades e a posição dos Bourgès na sociedade de Bordeaux. Por mais encantador que ele fosse – e Louis Bourgès agora se culpava por tê-lo acolhido como um filho –, um engenheiro era um nômade: ele nunca ficaria num só lugar. Adrienne merecia mais do que uma vida de Penélope. Mas o burguês estava febril, pois as imagens da véspera voltavam à sua memória. O sofrimento mental de Adrienne...

Nenhum homem deveria provocar uma dor daquelas na própria filha! Mas era preciso firmeza; ele precisava se mostrar sob sua face mais hostil...

A silhueta de Eiffel apareceu na grade, que ele abriu para entrar na alameda central.

O engenheiro havia corrido tanto que não conseguiu gritar. Em sua cabeça, tudo se precipitava e se misturava, ele não procurava mais alguma lógica. Uma única coisa importava:

– A-Adrienne...

O nome saiu num fio de voz e Gustave precisou parar e se dobrar em dois no meio da alameda, para recuperar o fôlego.

Bourgès não saíra do lugar, como a estátua do Comendador.

Eiffel se endireitou, limpou as roupas cobertas por talos de grama devido à corrida pelos campos e se forçou a caminhar até o alpendre.

A cena era tristemente simbólica. Bourgès se mantinha no topo das escadas do alpendre, como um vigia. E Gustave erguia os olhos para ele.

– Onde está Adrienne?

O homem mantinha o olhar distante, como se espreitasse alguma coisa na orla do bosque. Estratégia lamentável: ele fazia de tudo para não encarar Eiffel.

– Onde está Adrienne, por Deus! – exclamou Gustave, subindo o primeiro degrau.

– Ela não está. Foi embora...

Num segundo, Gustave Eiffel chegou à sua frente, o rosto lívido, e Bourgès se viu obrigado a dar um passo para trás.

– Embora? Mas o que foi que... Embora para onde?

Bourgès visualizara aquela cena várias vezes, mas desde o dia anterior a temia. Ele torcera para que Pauwels fizesse sua parte, poupando-lhe aquele calvário. Ainda mais porque Georges, o mordomo, passava pela entrada da casa.

– Bom dia, senhor Eiffel – ele disse, com um sorriso benevolente. – E parabéns pela passarela!

Bourgès lhe fez um sinal para dar o fora e Georges voltou sobre seus passos.

– Embora para onde? – insistiu Gustave, que avançava na direção do homem, ameaçador.

– Foi viajar. Hoje de manhã. Com amigos.

Eiffel não conseguia acreditar. Anteontem, ele jantara com eles para falar do casamento.

– Eu... eu não entendo... – acabou dizendo Gustave, cuja raiva dava lugar à tristeza profunda.

– Desde o primeiro dia o senhor não entendeu nada.

O tom de Bourgès era terrivelmente neutro. Parecia um escrivão de tribunal. Se não empregasse aquele tom, correria o risco de desabar.

Eiffel se deparava com o frio homem de negócios que conhecera no início das obras.

– O senhor se deixou levar, como os outros – continuou Bourgès, com forçada condescendência. – Ela se cansou de brincar, só isso...

– Brincar?!

Bourgès fingiu abatimento e compaixão, chegando a colocar uma mão no ombro de Gustave.

– Ela não quer mais se casar. Mas não teve coragem de dizer...

Eiffel se soltou com violência. Adrienne não agiria assim! Ela nunca teria quebrado seu juramento. Ou teria dito a verdade a Eiffel; era honrada demais, orgulhosa demais.

– Não – gritou Eiffel. – Não é verdade!

Seu grito atraiu vários criados, que Bourgès viu às janelas, no andar superior.

– Adrienne! – gritou Gustave, colocando as mãos em concha. – ADRIENNE!

Bourgès fez um novo sinal para que os criados desaparecessem, o que eles fizeram com olhares preocupados, tamanho era o desespero de Gustave.

— Ela não está, acredite... Quer revistar a casa, talvez?

Gustave havia entendido que seria inútil. Mas ele não conseguia acreditar! Adrienne não podia desaparecer assim, sem uma palavra, como um fantasma.

Bourgès estava exausto. Aquilo precisava acabar.

— Bom, vamos, dê o fora daqui. Estou dizendo: a brincadeira acabou...

Foi a gota d'água. Tomado de fúria, Gustave se atirou sobre Bourgès com tudo. O outro não esperava aquilo, mas, apesar da idade, era duas cabeças mais alto que o engenheiro. Com um simples movimento de braço, empurrou Eiffel, que se desequilibrou para trás, tropeçou nos degraus e caiu na base da escada do alpendre.

Sua testa bateu com força na aresta de um degrau e seu rosto se espatifou no cascalho. Quando ele se levantou, ofegante, os olhos sujos do sangue que escorria de sua cabeça, Bourgès não se movera. Do alto de seu alpendre, observou o engenheiro com um desdém glacial e entrou em casa.

— Vá embora, senhor Eiffel — disse a voz do velho Georges, que ajudou Gustave a se levantar.

— Adrienne... — murmurou o jovem, com dificuldade para se manter em pé.

— A senhorita não está — disse Georges, desolado.

Gustave conseguiu sorrir ao criado, que o encarava com pena.

— Não faz mal, vou esperar por ela...

30

Paris, 1887

— Mais chá?
— Obrigada, estou servida.
Quantas vezes ele já fez essa pergunta? Quantas vezes ela já deu essa resposta? Mas esta não é a essência do casamento? Um sistema criado pelo mimetismo social desde que o homem caminha sobre duas pernas. Apesar das guerras, das epidemias, da ciência, um casal é sempre apenas um casal. Filhos teriam mudado tudo. Eles são a parte de incerteza e surpresa que pode transformar uma família num paraíso ou num inferno. Mas Adrienne tivera seu acidente e Antoine se conformara.
— Não podemos ter tudo, meu amor... — ele às vezes dizia, para tranquilizá-la quando, das janelas de casa, ela via mães cercadas de filhos nas alamedas do parque Monceau.
— Sem dúvida...
— Moramos num lugar magnífico, nunca passaremos necessidade, conhecemos pessoas fascinantes. E nos amamos há mais de vinte anos...
Diante daquela listagem dos fatos, Adrienne se via obrigada a concordar, pois seu marido dizia a verdade. Às vezes ela sentia

um estranho vazio que a invadia e sufocava. Mas ela o associava à sua cicatriz, às dores que volta e meia voltavam, apesar da passagem dos anos.

Até a volta de Gustave...

Ela sabia que Antoine o havia conhecido na época de estudante, mas logo esquecera esse detalhe. Ela precisava apagar tudo sobre ele, que era parte de sua vida de antes. Da época que ela tinha uma família, uma inocência, um corpo e um coração livres de ferimentos. E ela o havia esquecido, com o tempo, pois Antoine nunca o mencionava.

A torre infelizmente mudara tudo. Rever Gustave; descobrir sua perturbação, desde o primeiro olhar; saber que ele era viúvo, livre, ainda mais luminoso que antes; compreender que ele era uma saída, uma possibilidade, uma vida diferente daquele conforto asfixiante no qual ela se emaranhava há um quarto de século.

Mas Adrienne sabe que aquilo não passa de um sonho. Há os outros, a vida, a reputação consolidada pela passagem do tempo.

E também o marido, que ela amou de verdade, agarrando-se a seu amor como a uma tábua de salvação para não ser levada para o fundo do rio.

Ela ainda ama Antoine?

Ele está ali, à sua frente, mergulhado na leitura de um jornal...

O amor é uma ciência incerta. Quando ele se transforma em rotina, perde o sabor. Mas não será esta a característica de qualquer união duradoura? Não se pode ter o tempo todo o coração acelerado, os sentidos em alerta, o desejo ardente. Hoje seu noivo vistoso é um marido velho, ao lado do qual ela acorda todos os dias há um quarto de século, e que todas as manhãs lhe oferece chá apesar de ela já estar servida.

Adrienne examina Antoine, como se lhe faltasse algo. Com o rosto enfiado no *Le Figaro*, ele lê as notícias, mas algo mudou.

Ela logo percebera que ele desconfiava de algo. Desde a primeira noite com os Lockroy, no ano passado, Antoine se mostrara surpreso.

– Você viu como ele olhava para você?

– Deveria ficar orgulhoso: ainda agrado aos homens.

– Não é isso. É como se ele a conhecesse...

– Nunca vi esse homem antes, Antoine.

– Eu sei, mas talvez ele tenha visto você...

Observação estranha, à qual Adrienne não dera atenção. O importante era não deixar nada transparecer. Antoine nunca soubera daquele amor de juventude e do drama que se seguira. Ele conhecera Adrienne depois que ela cortara relações com os pais, enquanto ela convalescia de seu acidente. Fazia vinte e cinco anos que ela conseguia manter aquela memória oculta. Mas se Gustave voltasse e fosse recebido na casa deles como um amigo, ela conseguiria fingir indiferença?

Na verdade, com exceção do dia do concurso e da *garden-party* do Ministério, eles não voltaram a se ver. No dia da valsa, Adrienne percebera o olhar de Antoine: era evidente que ele notara alguma coisa, mesmo que apenas por instinto. Com o tempo, os casais acabam se conhecendo. Mas ele não dissera nada, pois aquele dia marcara o fim de sua "missão" com Eiffel, há mais de um ano. No entanto, Adrienne pensava em Gustave todas as noites...

– Você viu – observa Antoine, erguendo a cabeça do jornal – que as obras da torre correm perigo?

Restac tenta provocar a esposa?

Ela responde com um "ah, sim" evasivo, mas ele continua olhando para ela, à espera de uma reação.

– Há uma greve – ele diz, mostrando o jornal a ela. Adrienne vê uma fotografia dos operários, sentados na frente dos pilares inacabados, comendo sanduíches.

Ela se mantém impassível, mas seu coração dispara. Adrienne fica menos preocupada com o que lê do que com a estranha insistência de Antoine de tentar fazê-la esboçar uma reação.

– Pobre Gustave – ele diz, num tom cômico –, está realmente em maus lençóis... Essa greve pode derrubar sua torre.

– Por quê?

Adrienne responde tão rápido que Restac aperta os olhos, intrigado.

– Se a interrupção das obras ultrapassar certo número de dias, o acordo com a cidade de Paris e o Estado será rompido e ele precisará desmanchar tudo... O poeta do metal estará arruinado!

– Você parece se divertir com isso!

Ela grita, furiosa com o tom zombeteiro do marido.

– E você parece realmente ofendida, Adrienne. Posso saber por quê?

A esposa se sente empalidecer, pois seu marido nunca foi tão direto. O sangue começa a latejar em suas têmporas. Como se outra pessoa falasse por sua boca, ela começa a balbuciar, depois diz que seria uma injustiça. Um projeto tão bonito. Uma aventura tão linda.

– Além disso, foi tudo graças a você, Antoine. Sem seu apoio, ele nunca teria chegado aonde chegou. Hoje, sua queda parece diverti-lo, como se você o abandonasse...

– Não apoio nem abandono ninguém – ele diz, num tom gélido. – Cada um é responsável pela própria queda, e por suas próprias ações.

Ele encara a mulher novamente, atento à menor reação de sua parte. Mas ela se serve de chá e oferece um pouco ao marido.

– Obrigado, estou satisfeito...

Como se estivesse decidido a torturá-la até o fim, Antoine retoma o artigo e aponta para uma linha, abaixo da última coluna.

– Acho que sua queda já começou.

Adrienne não responde e bebe o chá.

– Gustave desapareceu.

– Desapareceu?

– Ninguém sabe onde ele está. Faz três dias que não vai às obras, abandonadas depois de uma violenta altercação com os grevistas. Nem sua filha sabe onde ele está...

Adrienne não aguenta mais. Saber que Gustave estava sozinho, acuado, à beira da falência, enquanto seu próprio marido faz comentários maldosos na hora do chá...

Ela se levanta e atira o guardanapo sobre a mesa.

— Por que está sendo tão cruel, Antoine?

Restac olha para ela com amargo alívio.

— Não estou sendo cruel, apenas faço uma constatação. Você me parece muito abalada. Não estamos nem aí para aquele reles ferreiro, não é mesmo?

É a gota d'água.

Sem olhar para o marido, Adrienne caminha firme até a porta e pega seu casaco.

— Adrienne, aonde está indo?!

— Para Bordeaux!

Quando Restac chega ao hall de entrada, sua mulher já bateu a porta. Ele se deixa cair numa grande poltrona, derrotado, incrédulo e triste.

— Para Bordeaux? — ele repete, incrédulo.

31

Bordeaux, 1860

Adrienne estava tão feliz que teria chorado de alegria. Ela dançava em seu quarto, se olhava no espelho, respirava a plenos pulmões o ar pesado daquele fim de verão, admirando os pássaros, as árvores, as nuvens, a natureza que parecia celebrá-la. A vida era realmente bela. Como não admitir esse fato? E ela tinha muita sorte, isso também precisava ser reconhecido. Ela deveria inclusive "dar graças", como dizia o velho Delcroix, que costumava almoçar com seus pais depois da missa – e esvaziar uma garrafa de vinho de Pessac sozinho!

– Adrienne, o Senhor a mimou; nunca esqueça de dar graças...

E a jovem agradecia à sua maneira. Sorrindo à beleza do mundo, aos encantos da natureza, à alegria de viver. Tudo estava tão perfeito nos últimos meses. Ela se casaria com o homem que amava, assim que ele concluísse sua primeira obra-prima.

– Adrienne, você está exagerando...

– É verdade: a passarela é uma obra-prima! Todo mundo diz isso, aliás, e meu pai em primeiro lugar.

– Espero fazer coisas ainda melhores.

— Você fará, sempre melhores. Pois estarei a seu lado, como uma musa.

Gustave ria daqueles comentários, mas sabia que Adrienne estava sendo sincera. Ela tinha uma admiração ilimitada pelo noivo e sentia que ele estava no início de uma carreira triunfal.

No dia seguinte, exatamente àquela hora, ela seguraria a mão dele enquanto o prefeito de Bordeaux cortaria a fita inaugural. Toda a cidade estaria presente. A imprensa, as pessoas importantes. E todos os veriam lado a lado, de mãos dadas, como se batizassem seu primeiro filho. Era apenas uma passarela de metal, mas Gustave dedicara sua vida, sua energia, todas as suas forças àquele projeto. Sem ela, sem aquela magnífica estrutura, eles nunca teriam se conhecido. Aquela ponte era seu amuleto da sorte.

Enquanto experimentava um vestido na frente do espelho de seu armário, Adrienne teve uma dúvida. Seria a escolha certa? Não deveria usar algo mais sóbrio? Ou mais colorido? Como vestir-se para uma inauguração, aliás?

Ela saiu para o corredor e foi até a escada, gritando:

— Mamãe? Papai?

Os Bourgès estavam na sala de jantar, terminando o café da manhã.

— Ainda estão à mesa? Não consigo parar quieta. Tenho a impressão de que minha passarela é que será inaugurada amanhã.

Os pais trocam um olhar silencioso, o rosto estranhamente fechado.

— Preciso de conselhos para o vestido — ela disse, girando como um pião. — O que acha, mamãe?

A mãe conseguiu sorrir, mas pediu à filha que se sentasse, pois a estava deixando tonta.

Louis Bourgès forçou um sorriso cortês, mas parecia estar fazendo uma careta.

Adrienne deu de ombros. Seus pais tinham seus humores, mas hoje era impensável que anuviassem sua alegria.

— Tenho uma ideia — ela disse, levando os olhos para as janelas que davam para o jardim. — Eu gostaria que nos casássemos em Florença. Dizem que é muito bonito, poético. Vocês conhecem Florença, não é mesmo?

Bourgès abriu o jornal em cima da mesa, como se não tivesse ouvido. Sua esposa se levantou e foi fechar a janela, dizendo, num tom terrivelmente falso:

— Está mais fresco hoje, não? Dá para sentir que o outono não está longe.

Adrienne não entendeu mais nada. Além de estar um calor sufocante, seus pais pareciam decididos a ignorar suas perguntas.

— Vocês não responderam — ela disse, fazendo uma colher de prata bater numa garrafa cheia de suco de uva. — Mamãe, um casamento em Florença, o que acha?

Os pais sabiam que aquele momento chegaria. Eles tinham se preparado para ele. Mas sempre o adiavam, como se não quisessem pensar a respeito. Deveriam ter ensaiado o que dizer, pois pareciam perdidos, quase desnorteados diante do tamanho da tarefa que tinham pela frente. Ninguém parte o coração da filha sem tremer.

— Adrienne, minha querida — começou a mãe, sem conseguir concluir a frase, com o rosto cheio de lágrimas.

Adrienne ficou surpresa com aquele súbito desespero. Sua mãe costumava ser uma pessoa fria. Do casal Bourgès, o pai era o mais sentimental, o mais carinhoso. A esposa era mais contida, e às vezes sentia uma ponta de ciúme de Adrienne, que era o sol da vida de seu marido. Aqueles eram pequenos detalhes que Adrienne não necessariamente notava, mas que sempre haviam marcado a relação entre os três.

— Oh, mamãe, o que aconteceu?

A jovem ficou com medo. Medo pela mãe, medo de que ela tivesse sofrido algum infortúnio e o escondido dela. Ela se levantou para abraçar a senhora Bourgès, acariciou seus cabelos como se consolasse uma criança. Para os pais, aquela reação foi ainda mais penosa. Por trás das lágrimas, a esposa passava o bastão para o marido. Bourgès limpou a garganta e recuou a poltrona, cruzando as mãos sobre a barriga volumosa.

– Não haverá casamento, Adrienne. Nem em Florença, nem em lugar algum...

Adrienne não entendia. As palavras chegavam a seus ouvidos, mas todo o seu ser as repelia. Aquela frase era impossível. Ou melhor: era antinatural.

O pai tentava demonstrar hostilidade, parecer ainda mais odioso do que era, pois via sua filha se decompondo à sua frente.

– Mas, papai... a passarela será inaugurada amanhã... celebraremos com Gustave... ele é nossa família, agora. *Minha* família...

Bourgès sacudiu a cabeça, com os olhos fixos no pão torrado com manteiga derretida em formas estranhas.

– Pensamos bem, sua mãe e eu... Você não pode se casar com aquele homem...

Não, Adrienne não estava sonhando. Não era uma ilusão. Seus pais não estavam brincando, realmente queriam dizer aquilo, tinham inclusive preparado o que dizer. Há muito tempo, sem dúvida. Desde o início, quem sabe?

– Aquele homem? – ela repetiu, derrubando uma cadeira que, com o choque, teve a pintura lascada e desfeita numa poeira branca.

– Francamente, querida – disse sua mãe, depois de engolir fundo –, você merece algo melhor. No fundo, você sabe disso. Ele não é... nós não somos... enfim, você sabe o que quero dizer.

Ah, sim, ela sabia! Ela sabia muito bem. Mas seus pais é que veriam, que saberiam.

Ela se postou na frente da mesa, ereta, com uma rigidez de estátua, pronta para um duelo. Seu olhar os desafiava. Os Bourgès se sentiram desamparados. Aquele dia estava sendo um pesadelo.

– Estou grávida... *daquele homem.*

A senhora Bourgès sufocou um grito de pavor, e seu marido fechou os olhos por um bom tempo, como se quisesse não ter mais nada a ver com aquela história.

– Não é verdade – ele acabou dizendo, levantando-se por sua vez. – Você está mentindo, Adrienne...

Adrienne manteve a calma. Estava surpresa por conseguir conservar a impassibilidade, apesar da dor que sentia; seus pais não esperavam por aquela notícia.

– É verdade, estou grávida. Gustave ainda não sabe, mas contarei amanhã para ele, depois da inauguração da passarela. Será minha pequena surpresa. Meu... presente de casamento...

Bourgès explodiu:

– Vá já para o seu quarto! Imediatamente!

Ele viu no olhar da filha um brilho horripilante. Seria loucura, resignação, temeridade? Ou apenas uma vontade inabalável?

Num salto, ela se precipitou até a porta que dava para o jardim, abriu-a completamente e correu para fora.

– Adrienne, aonde está indo? – gritou sua mãe.

O pai estava paralisado, como se não soubesse o que fazer.

– Louis! Vá buscá-la, pelo amor de Deus! Você sabe que ela é capaz de tudo.

Sim, Bourgès sabia. Estava horrorizado com o que poderia acontecer. Movimentando o pesado corpo, reuniu suas forças e correu para o jardim.

32

Paris, 1887

Adrienne adora caminhar sozinha por Paris. Ela gosta de se aventurar, de não saber aonde seus passos a levarão, de não ter que prestar contas a ninguém. Em sua vida tão regrada, tão cronometrada, ela conseguiu conservar aqueles bolsões de liberdade, embora seu marido os veja com maus olhos. Não que ele tema seu encontro com homens, mas Adrienne gosta de explorar áreas menos seguras que os arredores da planície Monceau. Ela costuma caminhar até as fortificações, os arredores de Belleville ou as ruelas das Halles. Mas nunca lhe acontece nada, como se ela estivesse protegida. As pessoas devem ver no rosto daquela linda mulher de olhos felinos que ela não é totalmente desse mundo, que ela vem de outro lugar e a ele retornará, que ela é outra pessoa. Quem? A própria Adrienne de Restac não sabe, mas faz tempo que ela tem a sensação de viver uma vida paralela, de desviar de seu destino traçado, de seguir um atalho para se perder na floresta de suas próprias contradições. Naquele dia, porém, ela se sente retroceder. Não por caminhar para trás, mas por acreditar, no fundo de si mesma, que finalmente encontrou o caminho que leva a seu passado, à clareira maravilhosa que ela nunca deveria – e nunca quis – ter abandonado. Estranha certeza que a faz avançar com o rosto franco e os olhos maiores que o mundo. Nada lhe diz que Gustave estará lá. Fazia mais de um ano que, ao fim de uma valsa, no Ministério do Comércio, ele lhe murmurara aquele endereço, como um segredo. Pensão *Les Acacias*, Rue des Batignolles. Ela nunca o esquecera. Sobretudo porque ele não ficava longe de sua casa. Bastava seguir o bulevar, atravessar a estrada de ferro e dobrar à esquerda, entrar naquele pequeno bairro tão diferente do seu. Ali não há imóveis vistosos, palacetes imponentes, lojas luxuosas. Aquela é a Paris popular descrita por Zola em seus romances (que Antoine tanto detesta e que Adrienne devora a cada novo lançamento). Um bairro de artesãos, comerciantes, casebres instáveis, ruas alagadas, meninos de quepe, jovens mal-encarados, pátios tenebrosos, janelas sem vidros, mas cheio da energia, da espontaneidade, da alegria de viver que ela nunca encontrava nas ruas simétricas, retilíneas e impecáveis de Monceau.

– Com licença, senhora, estou procurando a pensão *Les Acacias*.

A mulher examina a burguesa à sua frente e semicerra os olhos numa expressão velhaca.

– Uma mulher bonita como a senhora, procurando a sra. Goula? Tem certeza?

– A senhora conhece o lugar?

A senhorinha dá de ombros e aperta os dedos em torno de um cesto cheio de legumes.

– Se tem certeza... É a casinha recuada, logo adiante, à direita. Está vendo a grade e os galhos? É lá...

– Obrigada, senhora.

– Não me agradeça demais...

Que mulher curiosa! Mas Adrienne está acostumada a cruzar com personagens estranhos durante seus passeios solitários.

Les Acacias é uma casinha encantadora que parece saída do campo. Sem dúvida um vestígio dos primórdios daquele bairro, quando ele ainda era uma aldeia longe de Paris, nos montes acima do vale do Sena. Uma grade enferrujada, um jardinzinho selvagem, flores em canteiros, uma roseira acompanhando a fachada, emoldurando a porta, e o letreiro "Les Acacias, pensão familiar".

Nada muito preocupante! A mulher quis assustá-la, mas não conseguiu.

Adrienne toca a campainha e espera por um bom tempo, até que uma voz arrastada repete um "já vai, já vai" e abre a porta.

A idade da sra. Goula? Adrienne não saberia dizer. Rosto de bruxa maquiada para ir ao baile. Ela recua para deixar Adrienne entrar num vestíbulo de paredes cobertas de pinturas licenciosas.

– Meu marido era artista – desculpa-se a proprietária. – Como não valem nada, deixei-as. Ele morreu durante a Comuna...

Adrienne se força a sorrir e observa a pequena sala na qual o vestíbulo desemboca. Ela avista uma dezena de pessoas, homens e mulheres de todas as idades, que jogam cartas ou leem em silêncio.

– Se quiser um quarto, estamos lotados...
– Não quero um quarto, fique tranquila.
– Não preciso ser tranquilizada.

A senhora é decididamente pouco agradável.

– Procuro o senhor Eiffel.
– Senhor quem? – pergunta a proprietária inclinando a cabeça, como um velho cachorro surdo.
– Eiffel...
– Ah, não conheço ninguém com esse nome...
– E um senhor... Bonickhausen?

O rosto da velha se ilumina de repente e ela perde a hostilidade.

– A senhora quer dizer o senhor Gustave?

O coração de Adrienne dispara.

– Ele está?
– Quando vem, fica muito bem! Um de nossos clientes mais regulares. Vem sempre sozinho, passa a noite sonhando à janela, como se esperasse alguém.

Adrienne estremece.

– Mas faz três dias que está aqui, é a primeira vez que fica tanto tempo. E não sai do quarto. Pediu para deixar a bandeja na frente da porta, mas não come quase nada. Espero que não esteja doente.

A sra. Goula se retesa, temendo ter falado demais.

– A senhora é uma mulher honrada, ao menos? Tenho uma casa correta, fique sabendo.

– Fique tranquila – improvisa Adrienne –, sou sua irmã.

– Ah, bom – cora a proprietária –, pensei mesmo que a senhora devia ser da família.

Ela aponta para uma pequena escada do outro lado da entrada.

– Pode subir: segundo andar à direita. Quarto número 16.

– Obrigada, senhora...

***

Adrienne fica um bom tempo parada à porta. As dúvidas ressurgem. Será o caminho certo a seguir? O momento que ela tanto espera há vinte e cinco anos? Ou será uma nova ilusão, uma enésima farsa do destino? Mas Adrienne Bourgès nunca gostou de recuar. Ela toma as rédeas e entra sem bater...

O cheiro lhe salta ao rosto. Uma fumaça acre, em que se misturam tabaco, álcool e o pesado perfume de um corpo masculino entorpecido.

O quarto está tão escuro – as venezianas estão fechadas, as lâmpadas apagadas – que ela precisa acostumar os olhos antes de avançar.

Então ela o vê.

Ou melhor, ela avista o brilho de seu cigarro, como um vagalume ao crepúsculo; seu vulto está prostrado numa grande poltrona cercada de garrafas vazias, que enchem o assoalho.

Algo a assusta naquela cena; como se ela lamentasse ter vindo; não teria sido melhor guardar tudo aquilo como uma saudade, uma nostalgia, uma prodigiosa armadura para a memória, que lhe permitisse viver? Tarde demais: ela foi longe demais. Tem outro Eiffel diante dos olhos: um homem fraco, transtornado, desgrenhado, cujo olhar ela finalmente distingue, apesar da penumbra.

– Gustave – ela murmura, numa voz trêmula.

Pequeno sorriso triste.

– Você veio. Que bom...

Ele tenta se levantar, mas não tem forças. Ela vê seu corpo tentando sair da poltrona mas voltando a cair, prisioneiro.

Com um fósforo, ele reacende o cigarro. Com o brilho da chama, Adrienne vê seu rosto cansado, mas também percebe a doçura de seu olhar, no qual lê a alegria de sabê-la ali, e a tristeza dos anos passados longe um do outro.

– Lembrei-me do endereço, veja só – ela diz, num tom que gostaria leve, ajoelhando-se diante dele. – Levei um ano...

Gustave franze o cenho e balança a cabeça de um lado para outro.

– Não, Adrienne. Levou vinte e cinco anos...

Adrienne gostaria de responder, mas as lágrimas a impedem de falar.

33

Bordeaux, 1860

Não pensar. Não refletir. Trancar a respiração. Conseguir correr, sem tropeçar. E acima de tudo: fugir. Fugir daquela gente, daquela casta, daquela arrogância, daquela estupidez. Como assim, ela merecia algo melhor? Quem? Um burguês inflado da própria respeitabilidade, como seu pai? Para se apagar aos poucos, com o passar dos anos, em meio ao tédio e ao brilho daquela vida burguesa, como sua mãe? Sufocar com as regras, os princípios, os almoços entre notáveis, as recepções, os triunfos municipais, toda aquela vidinha provinciana tão agradável quanto o fundo do Garonne? Nunca! Mas para escapar daquilo tudo ela precisava correr. Correr na direção da grade do jardim, que era o último obstáculo a sua liberdade.

– Adrienne! – bradou seu pai, ainda longe.

Ela não se virou, sobretudo para não parar de correr. Ela precisava manter a distância, para não correr o risco de ser alcançada. O gordo Louis Bourgès ofegava e retomava o fôlego a cada cinco metros.

O sangue martelava a cabeça de Adrienne, como se lhe queimasse o cérebro. O suor inundava seu rosto. Uma náusea crescente a acompanhava havia alguns dias – mas era seu sol. A linda surpresa que ela faria a Gustave, no dia seguinte. Ou naquela noite.

Agora que estava fugindo, nada poderia separá-los. Ela se refugiaria na casa dele. Ou na cabana da obra, onde eles construíram as melhores lembranças. Seus pais não poderiam dizer nada: ela não era mais uma criança, e Gustave saberia enfrentá-los. Gustave: seu homem, seu amor, seu herói.

Na frente da grade, ela desanimou.

– Fechada... – ofegou, sacudindo o portão fechado por uma grande corrente.

Todas as manhãs, George o abria. Por que não o abrira naquele dia? Que triste acaso fizeram com que, justamente naquela manhã, ele não caminhara até a entrada do jardim?

– Azar – ela murmurou, começando a escalar as grades.

– Adrienne! Não faça uma besteira! – gritou a voz de seu pai, cujos passos se aceleravam... e se aproximavam.

Ela estava quase lá. Se subisse um pouco mais, chegaria ao topo da grade. Mas era preciso destreza. As pontas da grade eram como espadas afiadas, até os pombos se feriam, para grande horror da senhora Bourgès.

Lembrar disso fez Adrienne estremecer, mas ela deu um último impulso e chegou ao topo da grade.

– Adrienne! Por Deus! Desça! É perigoso demais!

Exausto, sem fôlego, seu pai estava ao pé da grade, com a boca aberta e todo o seu corpo espumando de suor e medo.

Do alto, como seu pai parecia frágil. Adrienne foi tomada por uma risada nervosa que quase a fez perder o equilíbrio. Ela precisava ser prudente. Seus pés cabiam entre as pontas das lanças, e o menor movimento em falso a faria cair sobre uma das pontas.

– Adrienne, minha querida – implorou seu pai. – Desça...

A filha o encarava, muda, desafiando seu olhar com uma alegria assassina. Bourgès colhia o que merecia.

– Vamos conversar de novo, depois de esfriarmos a cabeça – ele continuou, cauteloso. – Sua mãe e eu talvez tenhamos nos precipitado. Podemos chegar a um acordo, tenho certeza...

Adrienne ficou siderada.

– Um acordo? O senhor quer dizer que está disposto a negociar?

O pai não ousou responder, pois a filha, cheia de raiva, começou a se balançar perigosamente no alto da grade.

– Não sou um de seus clientes, papai. Sei que para o senhor tudo pode ser comprado, mas eu não.

Apontando para seu ventre, ela acrescentou:

– Ele... não...

Bourgès se sentiu desamparado. A cena lhe parecia perdida para sempre, ele não tinha mais argumentos. Num impulso desesperado, começou a escalar a grade.

A visão era tão ridícula que Adrienne teve um acesso de riso, pois aquele homem gordo não encontrava nenhum ponto de apoio, escorregava contra o metal, esmagava o rosto na fechadura.

Ela riu tão alto que ele ficou vermelho de raiva.

– Adrienne, agora chega!

Então, num pulo espetacular, ele conseguiu agarrar o pé da filha. Foi o que bastou.

Tudo aconteceu muito rápido.

Com um grito de surpresa, Adrienne caiu para a frente, mas foi interrompida em sua queda como um pássaro atingido em pleno voo.

– Adrienne! – gritou Bourgès, salpicado do sangue da filha.

34

Paris, 1887

– O acidente foi a sentença de morte de nosso filho, e de todos os que eu poderia ter...

Gustave fica estupefato. Ele nunca teria adivinhado. Ninguém lhe dissera nada. Tudo fora abafado...

Ele coloca os dedos na cicatriz que Adrienne lhe mostra ao acabar seu relato. Um estranho relevo rosado, quase artístico, que lhe corta o ventre, do umbigo à virilha. Lá fora, já é noite. Ela falou por um bom tempo, com dificuldade, seguindo o curso de sua memória, para Gustave não perder nenhum detalhe, pois aquela história pertencia aos dois. Pela janela, eles ouvem o som de um coche e o relincho dos cavalos.

– Eu poderia ter morrido – ela retoma –, mas os médicos de Bordeaux fizeram milagres...

– O milagre – diz Gustave, que se ajoelhou diante de Adrienne e passa um dedo por sua bochecha, seu rosto, seus lábios, seu pescoço –, é que estamos aqui, os dois, finalmente...

Com a garganta apertada, como se lutasse contra as lágrimas, ele admite com dificuldade:

– Eu não podia falar de você para ninguém. Não sabia onde você estava. Senti-me traído, abandonado...

Adrienne também acaricia o rosto de Gustave:

– Mas eu estava aqui... Lia sobre você. Artigos, livros, entrevistas... Não havia uma semana em que eu não encontrasse algo a seu respeito. Você pode imaginar como fiquei orgulhosa... como *estou* orgulhosa de você...

Adrienne não tem mais palavras, não tem mais forças. Ela nunca revivera aquela história antes. E nunca a mencionara a ninguém. Nem Antoine, que a conhecera depois do ocorrido, durante sua convalescença, sabia do ocorrido. Ele sabia apenas que um acidente estúpido a privara do dom da vida, e que se casasse com ela precisaria renunciar a ter herdeiros...

Adrienne teria desejado um filho de outro homem? Vinte e cinco anos se passaram, essa pergunta não faz mais sentido. Seu primeiro amor está ali, diante dela, o rosto encovado, a barba grisalha, os olhos fundos, enrugados, mas com a mesma intensidade, a mesma energia que a seduzira quando eles se conheceram.

Quando Gustave se levanta e a pega pela mão, Adrienne se deixa levar. Com toda calma, eles caminham na direção da cama. As coisas deviam ser daquele jeito? Certas lembranças não deviam ser deixadas no passado? Não seria tarde demais? Eles não estavam velhos demais, cansados demais?

Mas a memória do corpo é mais forte. Enquanto ele retira suas roupas com delicadeza, uma por uma, ela começa a lembrar. Ou melhor, passado e presente se confundem, tornando-se um tempo absoluto, imediato. O homem que a toma nos braços, que a deita na cama, que a beija com tanto carinho, não é mais o jovem engenheiro ardente de 26 anos, nem o quinquagenário e famoso homem de negócios. Ele é apenas Gustave. Seu Gustave. Assim como ela é apenas Adrienne. Eles estão ali, juntos.

Enquanto o prazer eriça sua pele, como uma onda que ela não sente há anos, Gustave murmura em seu ouvido:

– Nunca mais vou deixá-la partir. Nunca mais.

35

Paris, 1887

– Eiffel está zombando da gente, ouçam o que digo!

A voz possante ecoa até a outra extremidade das obras. Os operários assentem, com os pés firmes no chão. Brénichot sempre foi o mais barulhento de todos, o mais violento também. Ao mesmo tempo, é um homem honrado e de princípios. Nunca trairia as pessoas que o respeitam. Mas quando se sente explorado...

– Não recebemos nada do que exigimos, e agora isso...

De pé sobre uma montanha de traves empilhadas no chão, o operário agita algumas folhas de papel, sob os gritos do restante da equipe.

Ele se deparou com elas quase por acaso, naquela manhã. Como se a descoberta confirmasse a greve que paralisa as obras há seis dias. Pois nada funciona ao pé da torre. Assim que a equipe anuncia a interrupção dos trabalhos, em vez de agarrar o touro pelos chifres – como todos esperavam, vários deles dispostos a ceder, pois admiram e respeitam seu chefe –, Gustave Eiffel desaparece! Acaso? Coincidência? Acidente? Fuga de suas responsabilidades? Ninguém sabe de nada, apenas que as obras estão paradas e que não será o infeliz Compagnon quem colocará os homens de volta ao trabalho. Eles querem ser pagos de acordo com o perigo crescente que correm. Os quatro pilares sobem cada vez mais em direção ao céu. Em poucas semanas, eles se unirão para formar o primeiro andar. Mas a que preço? Um salário miserável! E também há os documentos que Brénichot encontrou na cabana de Eiffel, ao pé do pilar noroeste. Ele havia entrado lá naquela manhã, decidido a vasculhar tudo para saber mais, ou para compreender o desaparecimento de seu chefe. Mas aquelas páginas foram suficientes... Elas confirmam que a greve é mais do que fatal: ela é necessária.

– Vejam como estão os Empreendimentos Eiffel! Recebemos uma advertência! Se em dois meses não chegarmos ao primeiro andar, teremos que desmontar tudo!

Grande onda de cólera entre todos os operários, que se olham com incompreensão, como se todos tivessem sido enganados. Como se tivessem mentido para eles.

– Quer dizer que não há mais torre, não há mais obra, não há mais nada! E nós, então? O que faremos se...

– *Ele tem razão!*

Por um momento, o canteiro de obras fica em silêncio. Existem vozes naturalmente autoritárias, diante das quais todos se calam. E é em meio a um estranho silêncio, ao mesmo tempo surpreso e aliviado, que Gustave atravessa a pequena multidão.

Em vez de ficar ainda mais furiosos, eles se surpreendem com a luz de seu rosto. Não há outra palavra: Eiffel está luminoso.

Ele sobe na pilha de vigas, posta-se ao lado de Brénichot e o encara com tanta benevolência que o operário se sente desarmado. E todos têm a mesma sensação de familiaridade e segurança, embora ele ainda não tenha aberto a boca.

– É verdade – começa Eiffel, dando um tapinha amigável no ombro de Brénichot, que faz uma careta irritada. Afinal, está perdendo o protagonismo.

– É verdade, Brénichot tem razão, estamos na merda...

Consciente de que precisa guiar seus homens como cavalos prestes a empinar, Eiffel mede o efeito de suas palavras.

– Não podemos aumentar o salário de ninguém – onda de protesto imediata – *por enquanto...* – o burburinho diminui novamente.

Os operários estão dispostos a ouvi-lo, mas todos os rostos se fecham. Gustave olha para os embriões de torre que se elevam para o céu de Paris. O mesmo céu que ele olhava naquela manhã, da janela do quarto na pensão *Les Acacias*. Eles estavam tão bem, tudo era tão lindo, tão evidente. E tudo faz tanto sentido, agora.

– Não chegaremos ao primeiro andar em dois meses... – retoma o engenheiro, estendendo o braço para o alto –, mas em quinze dias!

Todos os operários caem numa gargalha amarga. O respeito que tinham sentido se desmancha na mesma hora. Eiffel está realmente zombando deles!

– Sem brincadeiras – reclama Brénichot, com o olhar assassino. – E como o senhor pretende fazer isso?

Como se falasse uma obviedade, Eiffel aponta para o pilar à sua esquerda.

– Uma grua por pilar, cada uma instalada nos trilhos dos futuros elevadores. Assim, vocês poderão subir boa parte do material sem esforço, ou ao menos sem perigo. E, principalmente, muito mais rápido.

Os operários ficam desconcertados. Ninguém havia pensado naquilo.

– Em quinze dias, estaremos lá...

Eiffel sente a confiança voltar, à medida que os operários coçam o rosto e franzem o cenho, voltados para o pilar. Brénichot não pretende se deixar levar com tanta facilidade.

– Sim, mas e nós, em tudo isso?

Eiffel o agarra novamente pelos ombros.

— *Nós* quer dizer você e eu! Porque estamos juntos nesse projeto! Teremos outros problemas amanhã, depois de amanhã. Não tenho dinheiro para um aumento hoje. Mas amanhã, terei!

Novo silêncio ansioso; os operários não sabem o que fazer. Alguns trabalham para Eiffel há mais de dez anos: eles sabem que o engenheiro é um homem honrado, que ele nunca enganou ninguém. Mas eles estão perto demais do precipício. Não é o momento de ser sentimental; a fidelidade acaba onde começam as necessidades da vida real, quando começam os perigos.

— E a segurança? — quer saber um dos homens, que sai da multidão e caminha até o pé das vigas metálicas. — O que pensou a respeito?

Gustave abre um sorriso. Ele sabe que precisa falar sobre isso. Ele precisa recuperar o respeito e a confiança de seus homens, custe o que custar. Por isso, salta das vigas até o chão, como um jovem. Depois, a toda velocidade, chega ao pé do pilar. Hipnotizados, os operários o veem tirar o paletó, atirá-lo ao chão, e começar a subir a estrutura, de mãos nuas...

Eles não acreditam no que veem. Sobretudo porque as vigas, recentes, são muito escorregadias e ele está com sapatos sociais.

Quando Eiffel chega a dez metros de altura, seu pé escorrega e ele quase cai. Um dos operários brada:

— Senhor Eiffel, tome cuidado.

A empatia o enche de energia! Ele escala a torre com uma agilidade simiesca, surpreso com a própria facilidade. No fundo de seu coração, ele sabe ter de novo 26 anos, e essa certeza o torna invencível.

Chegando à metade do caminho, ele se pendura pelos dois braços e fica suspenso no ar. Do alto, ele não enxerga mais o detalhe dos rostos, apenas um exército de vultos escuros e avermelhados, que não emite o menor ruído.

— Vamos chegar até esse maldito primeiro andar, e depois dobro o salário de vocês. Está bem assim?

Os homens ficam um segundo sem responder. Depois, alguém grita um "sim!" confiante, que logo se torna um concerto entusiasmado.

– Essa torre é da França, mas, acima de tudo, ela é nossa! Minha, de vocês!

Os homens sentem a confiança aumentar. Eles precisavam dele, ele precisava estar ali. Eles se sentiram abandonados, mas com a presença dele, inflamando-os como naquele momento, eles são capazes de ir até a lua.

– Começamos a torre juntos, juntos iremos concluí-la...

Uma onda de alegria chega até ele, e alguns operários se juntam a ele, agarrados às vigas. Gustave não olha para baixo. Com os olhos perdidos no horizonte, o coração pulsando, ele sorri para o sol e se pergunta se, naquele mesmo instante, no doce parêntese que eles criaram, Adrienne sente a mesma felicidade.

36

Paris, 1887

Gustave Eiffel já se sentira tão feliz? Ele já sentira tanta plenitude? Era como se a corrida maluca na qual ele se lançara há quase meio século encontrasse não seu fim, mas uma nova coerência, uma bela e sincera certeza.

Reencontrar Adrienne e reconquistá-la não significa reviver a juventude, ressuscitar um passado oculto, menos ainda mergulhar na nostalgia: significa continuar o que foi interrompido.

A vida de Gustave, seu casamento e seus filhos não foram de modo algum um tapa-buraco, menos ainda uma muleta à qual ele se agarrara por todos aqueles anos. Mas ele agora sente tanta força, tanta energia; sentir Adrienne em seus braços dá sentido às coisas. Como se ela representasse a proporção áurea buscada pelos arquitetos.

Sua antiga noiva sente o mesmo. Adrienne também volta à vida. Todos aqueles anos vividos numa redoma, protegida num casulo de conforto preparado pelo pobre Antoine – o marido que se tornara carcereiro e a casa que se tornara cárcere –, haviam feito com que esquecesse o prodigioso sabor da realidade. Um conceito tão simples, tão tolo, se torna cheio de sentido quando ela mergulha nos olhos de Gustave: sinceridade.

Os anos se passaram, é claro, eles envelheceram, mas o amor é grande porque transcende idades, abole o tempo, leva um casal a uma dimensão desprovida de cronologia. Onde só existem a lógica dos sentimentos, a doce música dos sentidos e da alegria compartilhada, a cumplicidade que ninguém mais pode compreender, porque eles a constroem.

Além disso, há a surpresa quase sufocante de acordar lado a lado, como se o sonho continuasse depois do despertar. Um sonho que dá sentido à vida.

Apesar do inebriante arrebatamento do reencontro, os amantes precisam voltar à realidade. Gustave Eiffel é um dos construtores mais famosos da França, Adrienne de Restac é a mulher de um dos colunistas mais em voga. É impensável que a felicidade que sentem venha a ser prejudicada. Eles não serão separados de novo!

Por isso, eles precisam ser discretos e agir em segredo, para não serem "pegos".

– Somos como alunos internos que se encontram depois do apagar das luzes – diz Gustave a Adrienne, numa das noites em que ela vai a seu encontro em Batignolles.

– Nunca fui aluna interna – ela objeta, colocando sobre a pequena mesa algo para fazer o jantar: pão, costeletas para grelhar na lareira e uma garrafa de *pommard* (depois do acidente, ela nunca mais bebeu uma gota de *bordeaux*!).

– Ainda bem – diz Gustave, abraçando-a com carinho para levá-la para a cama. – Senão teríamos todos nos apaixonado por você.

Adrienne cai na gargalhada.

– Sempre sonhei ter um séquito e...

Eiffel não a deixa acabar a frase, colocando uma mão sobre sua boca.

– Decidi que não vou mais dividir você.

Ele arranca suas roupas, sem se preocupar com os botões que caem no chão, num tinido seco.

***

Assim são suas noites, suas madrugadas, por semanas a fio. Ninguém estranha, pois Gustave passa os dias na obra. Claire não faz nenhuma pergunta, não se espanta de descobrir o quarto do pai intocado, a cama ainda feita, ao chegar cedo com as crianças, para acordá-lo.

— Onde está meu pai?

— Ele costuma passar a noite na obra da torre.

— Ele trabalha tanto...

— A torre é seu grande amor, a senhorita bem sabe.

— Não somos nós?

— Sim, claro, mas com os artistas é preciso saber dividir seu lugar...

Claire está sendo sincera? Ela não desconfia de nada? Claro que sim, mas ela vê seu pai tão luminoso há algumas semanas, tão realizado, tão feliz, que prefere não saber mais nada e respeita aquela felicidade tão evidente. Principalmente porque sua alegria é contagiosa: na obra, os operários são eletrizados pelo entusiasmo do chefe.

— Senhor Eiffel, parece ter 20 anos!

— A torre me rejuvenesce, o que posso fazer? Faz anos que sonho com ela: vê-la de verdade é minha fonte da juventude.

Ao dizer isso, Gustave não sabe se está falando da torre...

A propósito, ele sente dificuldade de silenciar seu segredo. Ele gostaria de falar de Adrienne, gritar seu nome, cantar sua beleza e sua doçura, com um ardor quase pueril. Ele precisa se conter para não contar tudo a Compagnon, que lhe faz algumas perguntas:

— Gustave, o que está acontecendo? Nunca o vi assim. Você quase não reclama mais.

– Está se queixando?
– Eu já estava acostumado.

Gustave ri, dando bons tapinhas nas costas de seu colaborador antes de subir de dois em dois os degraus da torre. Eles chegam ao início do primeiro andar, que esperam concluir em poucos dias.

Tudo corre tão bem, tudo avança com tanta facilidade, que Gustave sente um frio na barriga. Ele está realizando sua obra-prima absoluta, a síntese de seus sonhos; ele tem, juntos, a obra e a mulher de sua vida.

Em certo sentido, é Adrienne que mantém seus pés no chão.

– Caso contrário, sua vida se limitaria a dias no Champ de Mars e a noites aqui, comigo – ela diz, trazendo-lhe os jornais, os últimos lançamentos literários, as resenhas dos espetáculos em voga em Paris.

– Não estou nem aí para tudo isso – ele diz, com uma careta, sacudindo o *Horla*, que Adrienne lhe oferece. – Esse Maupassant é um traidor: mais um que assinou a petição do inverno passado. Por mais que ele afete dignidade, é um devasso, um maluco. Cruzei com ele várias vezes...

Adrienne se enrola em torno do amante e sussurra numa voz exageradamente maliciosa:

– Porque você não gosta de devassidão, é isso?

Gustave se acalma, mas a famosa petição ainda o fere. Ele se sentira realmente traído.

– Ao menos Hugo e Zola não participaram dessa hipocrisia – ele diz apontando para *Coisas vistas* e *A terra*, outros lançamentos que Adrienne leva à pensão *Les Acacias* e que ele guarda em sua biblioteca sem ler...

– Mas não defenderam você...

– Eles me concedem o benefício da dúvida e esperam ver minha torre "de pé", por assim dizer. Odeio os supostos gênios que julgam sem saber, sem ver...

Ele precisa admitir que, com exceção dos momentos em seu refúgio amoroso, o período é tenso. Mais uma vez, é Adrienne quem mantém Gustave informado sobre os males do mundo. A França segue em franca hostilidade contra a Alemanha, pois a ocupação da Alsácia e da Mosela é uma chaga aberta. Em abril, um confronto quase se deflagrou devido a um caso de espionagem mal explicado. A popularidade do general Boulanger, apelidado de general Revanche, aumenta. Aos olhos de parte da população, ele é o único que pode restaurar a dignidade da França, seu orgulho. Por mais que o país dê mostras de plenitude técnica e científica – a torre Eiffel é sua mais perfeita ilustração –, a França permanece mutilada e humilhada. E Boulanger incita o espírito revanchista com tanta eficácia que o governo se assusta. Por isso, agora tenta refreá-lo e afastá-lo, associando-o a casos pouco dignos de tráfico de condecorações, nos quais nada prova seu envolvimento.

– É demais – observa Gustave. – Esse sujeito quer nos levar à guerra.

– Você diz isso porque teme que um conflito interrompa sua obra? – pergunta Adrienne, que conhece bem Gustave.

Eiffel admite que se sente tão feliz, que tudo está tão perfeito, que o menor incidente arruinaria o equilíbrio por tanto tempo buscado.

– E o país, em tudo isso? – ri Adrienne, que adora o egoísmo piramidal de seu amante.

– O país? Já lhe dei muito. Agora é a você que quero me dedicar.

– A mim... e à torre, não?

– Vocês são quase a mesma coisa...

37

Paris, 1887

A luz baixa passa por entre as árvores cada vez mais sem folhas. Os tons são amarronzados, reluzentes, com o cheiro característico dos bosques em novembro: um perfume de cascas de árvores e águas paradas.

Quando Adrienne sugeriu aquele passeio na floresta, Gustave objetou que estaria frio, que o outono estava bem avançado, que no fim de novembro a vegetação estaria extremamente úmida, que eles ficariam doentes.

– É verdade, vovô – ela riu, acariciando seu rosto.

Ele se viu sem argumentos...

Agora que eles estão deitados numa grama seca cheia de folhas mortas de perfume inebriante, protegidos do vento e sob um sol espantosamente quente, Gustave sabe que por nada no mundo gostaria de estar em outro lugar.

– Roubei você de sua equipe – admite Adrienne, brincando com um ramo no rosto de Gustave.

Ele sorri, apoiando a cabeça nos joelhos da amante.

– Estamos tão bem – ele murmura –, tudo é tão bonito e calmo, aqui.

Adrienne está certa: ele deu o dia livre aos operários para parabenizá-los do feito da véspera, a chegada ao primeiro andar! Eles o alcançaram dentro do prazo, como o engenheiro havia dito e como o contrato com o Estado estipulava. Ninguém poupara esforços depois do fim da greve. Eiffel dissera quinze dias e eles levaram um mês e meio, mas a bancarrota foi evitada e essa era a única coisa que contava. Eles mereciam aquele dia de descanso no meio da semana.

– Nós o veremos amanhã, senhor Eiffel, na festa? – perguntou Brénichot.

– Acho que vou me autorizar dormir até tarde – confessou o engenheiro. – E vocês deveriam fazer o mesmo. Depois de um dia como este, o sono não faria mal a ninguém.

– Depois de um dia? – riu Brénichot. – O senhor quer dizer uma semana, um mês!

O operário dizia a verdade: a vida se acelerara tanto, naquele outono! Pensando bem, com o corpo deitado entre as urzes, Gustave sente ter se multiplicado, vivido vinte vidas. Mas ele raras vezes teve a impressão de ser tanto ele mesmo. Deus sabe que ele vinha dançando na corda bamba desde o mês de setembro. Além de suspender uma greve, ele precisara enfrentar seus credores durante uma sessão no Crédit Lyonnais, em meados de setembro, durante uma reunião com um conselho de lânguidos banqueiros preocupados, que lhe anunciaram a interrupção dos financiamentos. Os caquéticos conselheiros não estavam preocupados com a solidez da obra, mas duvidavam de sua rentabilidade! Nenhum deles conseguia imaginar que o público pudesse querer subir trezentos metros acima de Paris. Por bravata – Compagnon empalidecera –, Eiffel simplesmente rompera sua associação com o Crédit Lyonnais, a ponto de encerrar suas contas pessoais, sociais e filiais! O banco, que não esperava um divórcio tão radical, ficou desesperado.

Mas Gustave havia mudado: ele não queria mais saber de transigir. Com um ardor adolescente, preferira confiar no pequeno

Banco Franco-Egípcio, aceitando hipotecar todos os seus bens, desde que pudesse continuar a edificação de sua torre.

– Vou continuar, mesmo que eu precise me endividar pelos próximos mil anos, entende? – ele comunicara a um perplexo Compagnon.

– Não, não entendo...

Agora que o primeiro andar foi alcançado, Gustave sabe ter feito a coisa certa. Ele nunca foi um jogador – sempre desconfiara do acaso –, mas confiou em sua boa estrela.

– Você é meu amuleto da sorte, Adrienne – ele diz, levantando a cabeça para beijar seus lábios.

Ela sorri e o beija suavemente.

– Se pudéssemos ficar assim para sempre... – ela diz, encostando-se no tronco da faia que os acolhe desde o fim da manhã. Em torno deles, as sobras de um piquenique e algumas roupas que eles se esqueceram de vestir ao recolocar as roupas para comer.

– Ficar assim para sempre, na grama? – pergunta Gustave, sorrindo.

– Na grama e felizes, sim...

Gustave finge se retorcer.

– Ficaríamos entediados. Com dor nas costas. Cheios de formigas.

Adrienne cai na gargalhada e acaricia a fronte do amante, passando os dedos por seus cabelos grisalhos.

– *Você* se entediaria – ela o corrige.

– Você também. Além disso, não vejo nenhum rio para você se atirar.

Diante dessa lembrança, o sorriso de Adrienne se desfaz, como se reconhecesse a passagem do tempo; mas ela também sente o retorno da felicidade, de uma forma de sabedoria sutil, de confiança.

– Estou tão orgulhosa de você, meu amor...

Ela também viveu mil vidas desde a primeira noite na pensão *Les Acacias*. Sempre que consegue, Gustave a leva para a obra, depois da saída dos operários. A noite é sua cúmplice, pois Adrienne nunca ousaria subir aquelas escadas tão frágeis, tão abertas, em pleno dia. Ela segue Eiffel, às vezes quase perdendo o equilíbrio, ele sempre a segura. E como eles se sentem bem, lá no alto, sozinhos, como no topo de uma montanha, na proa de um navio, o rosto tocado pelo vento de outono. Ela às vezes percebe, no rosto de Eiffel, uma paixão tão grande, tão absoluta, que não consegue esconder a surpresa.

– Você olha para ela com olhos...
– Para quem?
– A torre.
– Está com ciúme?

Diante da falsa reprimenda de Adrienne, Eiffel ri, mas ele não pode negar sua paixão voraz por aquela obra tão descabida. Ela é a coroação de tudo em que ele acredita, de tudo o que ele fez desde o início de sua carreira. E Adrienne se tornou a pedra angular daquele apogeu, a razão de ser de tantos anos de trabalho. O ciúme de Adrienne é passageiro. Ele é a sina de todas as mulheres de artistas, que precisam dividi-los com suas criações. E ele fala tão bem da sua, ele a encanta tanto com ela. Quando eles não sobem a torre, ele a leva para seu escritório, para ver suas maquetes, seus projetos, suas fotografias, mostrando-lhe tudo o que fez desde sua fuga de Bordeaux, há 27 anos. E Adrienne fica fascinada. Ela lhe faz muitas perguntas, mas sempre volta à torre. Ela tenta entender a estrutura daquela obra revolucionária, prodigiosa e aberrante, que não para de despertar discussões e escândalos nos jantares parisienses. Quando as pessoas tocam naquele assunto, Adrienne sempre evita participar. Por mais que ela seja discreta, que nunca apareça ao lado de Gustave, que planeje muito bem cada uma de suas "desculpas", ela vive em Paris. É inclusive uma parisiense conhecida, casada com um de seus mais ousados jornalistas. A profissão de Antoine não consiste, muitas vezes, em espalhar boatos, disseminar calúnias? E a atitude de seu marido é justamente o que mais preocupa Adrienne... Antoine se mantém impassível, quase inerte, há semanas. Ele nunca pergunta à mulher de onde ela vem, nunca a questiona. Contenta-se em sorrir, mas não lhe dirige mais a palavra. Em certo sentido, é mais difícil lidar com sua indiferença do que com um ciúme franco e aberto. Restac no máximo se autoriza um pequeno sorriso triste e ácido quando surpreende Adrienne lendo um artigo sobre a torre, ou quando o nome de Eiffel é mencionado em algum jantar. Mas mais nada. Nenhuma crítica, nenhum ataque. Antoine e Adrienne vivem sob o mesmo teto como dois estranhos.

– Ele às vezes me dá medo, sabia?

– Ele disse alguma coisa?

– Não, e é pior do que se dissesse. Ele nem olha, ele sabe, mas não diz nada...

Gustave sente um calafrio. Ele conhece Antoine há muito tempo. Na juventude, ele se lembra de ter percebido um brilho de loucura em seus olhos azuis. Olhos de tubarão, que se cobrem com uma fina membrana ao atacar.

– Ele faria algum mal a você?

Adrienne responde com uma evasiva.

– A mim, não...

Silêncio. Gustave não ousa falar. Ele não quer que Antoine de Restac estrague aquele momento tão agradável, em que eles estão tão felizes. Mas é mais forte que ele.

– Quer parar com tudo, é isso?

Novo sorriso tranquilizador de Adrienne, que se inclina sobre Eiffel e beija sua testa, a ponta de seu nariz, suas bochechas, seu queixo, seu pescoço. Tudo menos seus lábios, que evita de propósito, com malícia.

– Não seja bobo, Gustave.

Mas o engenheiro não está brincando.

– Quer que paremos de nos ver?

Adrienne se endireita e faz uma pausa, apoiada na faia. Acima deles, um pica-pau começa a martelar o tronco da árvore e ela se espanta de vê-lo, com o outono tão avançado. Quando criança, ela passava muito tempo no bosque de seus pais, e nada a deixava mais feliz do que os sons da floresta.

– Vou falar com ele... – ela disse a meia-voz.

– Quando?

– Hoje à noite. Quando voltarmos a Paris...

O coração de Eiffel se acelera e ele tem uma vertigem mais forte do que a que sente nas vigas que interligam os quatro pilares e formam o primeiro andar de sua torre.

– Tem certeza?

Adrienne olha para ele com uma intensidade incendiária.

– E você, Gustave? Tem certeza?

Sem responder, ele toca seu pescoço e a beija com ardor.

38

Paris, 1887

Adrienne volta mais cedo para esperar o marido. Ela sabe que nas quartas-feiras Antoine toma cerveja com os amigos jornalistas no *Marguery*, nos bulevares, e que volta sabendo dos últimos mexericos. Ela toma um banho demorado, não para se purificar do dia na floresta, mas para reaquecer o corpo antes daquele confronto cuja perspectiva a deixa enregelada.

Gustave repetira várias vezes que eles tinham tempo, que podiam esperar mais um pouco, que a clandestinidade tinha uma magia adolescente, um encanto secreto; mas Adrienne está decidida: será esta noite.

Ela se senta junto ao fogo, no grande salão invadido pela noite, iluminado apenas pela luz das chamas.

Ela olha para o ambiente com certa estupefação. Tudo lhe parece pesado, opressivo, carregado. Como ela pôde viver ali por tantos anos? Como encontrou prazer, equilíbrio? Ou alegria? Tudo lhe parece abstrato, agora. Ela olha para aquela casa como um cenário de teatro. Finalmente não se sente mais numa peça, mas na vida real. Faz 26 anos que estava presa entre dois atos.

Quando o rosto de Gustave surge em sua mente, quando ela pensa no cheiro de seu corpo, na força de seus gestos, na extraordinária vontade daquele homem, sua vida naquela redoma lhe parece terrivelmente irrisória.

– Adeus, Adrienne – ela diz, como se cantasse uma canção de ninar, atirando no fogo uma foto sua com Antoine, encontrada numa gaveta.

No fundo de si mesma, uma vozinha lhe diz que aquele gesto é cruel e inútil. Faz muito tempo que Antoine morreu para ela, que eles têm vidas paralelas, que ele passa as noites no *Chabanais* ou na casa de uma de suas insignificantes admiradoras que gostam de sua verve e cobiçam sua carteira. Adrienne se alegra de ver a imagem do marido inchando, se deformando, se transformando em auréola, em balão, escurecendo e desaparecendo. Seu rosto sofre a mesma mudança nas brasas da lareira. Mas Adrienne já completou a metamorfose. A salamandra saiu do fogo, o gato começou a viver sua nova vida. As coisas, agora, só precisam ser esclarecidas, *ditas*.

Adrienne consulta o pêndulo do salão: 9h30, Antoine ainda não voltou. Por que ele precisa se atrasar justamente no dia em que ela quer conversar? A vida tem suas cruéis ironias.

Para passar o tempo, ela folheia o último livro de Gyp, disputado nos salões ultimamente, cujo título é um prenúncio irônico de sua noite: *Alegrias conjugais*. Mas ela não consegue passar das três primeiras frases. As palavras começam a dançar diante de seus olhos, sua mente divaga, sai pela janela e chega às margens do Sena, ao pé da torre. Na noite seguinte, ela estará lá. Ao lado de Gustave, livre, feliz, e tudo poderá finalmente começar.

Às 10h30, a porta da frente bate com violência. Adrienne leva um susto: ela havia adormecido. Na lareira, a lenha havia sido quase totalmente consumida. As últimas brasas conferem ao salão um brilho cavernoso e, quando Antoine entra no cômodo, a luz do hall de entrada parece intensa demais.

– Ora, está aqui?

Antoine fica surpreso de encontrá-la ali, mas logo se vira e cambaleia até o bar, que abre com uma mão pouco firme.

"Ele bebeu...", pensa Adrienne retesando-se, pois aquilo não facilitaria as coisas. Quando está bêbado, Antoine pode se tornar irascível, e até violento. Ela o viu chegar às vias de fato, brigar como um operário, em plena calçada, com pessoas que lhe foram desrespeitosas. E sua embriaguez não vai passar, pois ele se serve de um grande copo de absinto, com os dedos trêmulos, antes de voltar para a poltrona à frente dela, do outro lado da lareira. Ele olha para as chamas e estende o braço para pegar uma tora, atirando-a no fogo. As brasas ainda estão quentes e a madeira está tão seca que logo começa a arder.

Nesse momento, à luz das chamas, os dois se encaram.

Adrienne vê um homem de rosto encovado, contornos crispados, com um olhar vítreo que o álcool torna amargo e errático. Antoine observa uma mulher que ele não conhece mais, uma pessoa com quem divide sua vida como se a encontrasse num restaurante. Ele poderia ter lutado, mas não teve forças. Ou não deu ouvidos aos mexericos. Deixou as coisas acontecerem, deixou os comentários surgirem. Ele também sempre teve sua independência, autorizou Adrienne a viver sua vida, escolher suas amizades, ir para onde quisesse. Mas agora que os olhares se enviesam, que as insinuações se multiplicam, que ele recebe apelidos, a coisa mudou. Mas quando ele se vê frente a frente com a esposa, Antoine de Restac fica como que paralisado: uma espécie de respeito instintivo, quase temeroso, que ele sempre sentiu e que, apesar dos anos, é o último vestígio do amor sincero que alimentou por ela nos primeiros anos de casamento.

– Teve um bom dia? – ele acaba perguntando, com dificuldade para articular as palavras, pois o absinto lhe queima a língua.

Adrienne olha para ele com frieza. Não há mais afeto em seus olhos, nem mesmo piedade, apenas uma indiferença cansada e a resignação de ter que fazer algo que ninguém gosta de fazer.

— Eu sei que você sabe, Antoine...

Restac não reage. Mas Adrienne percebe a sombra de uma careta. Ele pega o atiçador para acomodar a lenha, que caíra para o lado, apagando-se. O fogo volta com intensidade, iluminando o rosto dos dois novamente.

Adrienne se sente sufocar. O silêncio se torna asfixiante.

— Diga alguma coisa!

Restac continua olhando para as chamas sem piscar, como um gato hipnotizado pelo fogo e prestes a se imolar. Depois, muito lentamente, ele volta o rosto para a esposa.

Adrienne fica horrorizada com o que vê. A máscara caiu, finalmente. Ele mostra seu verdadeiro rosto, sombrio, cortante, de uma violência fria.

— Por que não me contou tudo quando encontrei Gustave, há dois anos?

Adrienne não sabe o que responder. Uma real timidez a impede de falar, como se ela estivesse numa prova oral. Como se qualquer resposta levasse inevitavelmente a uma punição. Ela mal consegue encolher os ombros, evasiva, furiosa por se mostrar tão covarde.

— E o escândalo — ele continua, quase sem voz —, você pensou no escândalo?

A observação do marido faz Adrienne recuperar a coragem. É isso que conta para ele: Antoine de Restac não é um marido enganado, mas um burguês preocupado com sua reputação. O problema não é seu coração partido, mas as calúnias, os mexericos. O jornalista é igual aos comentários biliosos que às vezes reproduz em suas colunas, sem assinatura, e que podem acabar com um homem, uma família, pelo simples prazer de um trocadilho.

— Não estou nem aí para o escândalo, Antoine.

Seu marido sufoca uma risada seca. Ele brinca com o atiçador, arrumando o fogo como um artista pintando uma tela, não em busca de perfeição, mas para encontrar outra coisa, sob um ângulo diferente.

— Você talvez não esteja nem aí. E eu também, em última instância...

Ele afunda na poltrona e encara a mulher com uma alegria cruel:

— E ele, Adrienne?

— Gustave me ama.

Antoine estremece. Aquilo nunca fora dito com tanta simplicidade, com a obviedade dilacerante que toca seu coração com uma chuva ácida. Restac fica surpreso de ainda se sentir atingido. Será ciúme? Orgulho? Um velho instinto de propriedade? Ou apenas a confirmação de que o tempo passou e sua vida também?

— Não estou falando de amor — ele retoma, voltando a se servir de absinto. — Estou falando de reputação. E de dinheiro.

As duas palavras exasperam Adrienne, que encara o marido com desprezo. Ele está facilitando as coisas para ela.

— Reputação e dinheiro: só existe isso para você?

Diante dessa pergunta, ela vê a alegria cruel do marido, como se ele preparasse um golpe baixo.

— Gustave precisa dos dois, se quiser preservar sua carreira gloriosa.

Restac afunda ainda mais na poltrona e cruza os dedos sobre a barriga arredondada, numa pose de glutão saciado. Seus olhos brilham cada vez mais e ele acaba sorrindo. Um sorriso sem graça, mais triste que a morte.

— O Conselho de Paris está prestes a votar para que as quantias dedicadas à torre sejam entregues não no primeiro andar... mas no segundo.

Adrienne perde o fôlego, pois entende tudo: se os fundos esperados (e anunciados!) não chegarem naquela semana, Gustave irá à falência. Vendo-se em vantagem, Restac mantém o rosto sem expressão, com os olhos apertados, e acrescenta que o Conselho de Paris pedira sua opinião sobre o assunto, justamente.

— E como você sabe... aqueles senhores me dão ouvidos...

Sua esposa fica aflita. Era isso que ele tramava, há semanas. Era por isso que não dizia nada, deixava as coisas acontecerem, observava sem abrir a boca, falsamente cúmplice, preparando seu ataque com extrema paciência.

Como se quisesse dar o golpe de misericórdia, Restac caminha até a escrivaninha, da qual retira uma pasta volumosa. Ele a abre e se aproxima da mulher, que não consegue conter um movimento de recuo. São artigos, listas, cartas, mensagens, cartões. Todos têm um único e mesmo teor: o ódio a Eiffel e sua maldita torre.

— Quer ler as petições? Estão todas aqui...

Adrienne fica chocada. Ela nunca teria pensado Antoine capaz de fazer aquilo. O desamor não significa desprezo, mas ele acaba de lhe dar motivos suplementares para não sentir nenhum arrependimento, nenhum remorso. Ele a enoja.

— Faz semanas que reúno documentos. Todos os meus amigos de todos os jornais, que recebem essas coisas pelo correio, guardaram tudo para mim. Enquanto vocês se amavam, reuni uma verdadeira coleção!

A alegria de Restac é hedionda. Adrienne se sente diante de uma gárgula, de um réptil asqueroso.

— Com tudo isso — ele ri —, tenho o suficiente para enterrar Gustave sob uma pilha de merda. Quer ler?

Sua esposa fica consternada, preocupada, mas também horrorizada. Antoine é capaz de tudo. Basta ele mostrar aquela lama toda aos conselheiros de Paris para que eles decidam que a brincadeira já se prolongou demais. Será a ruína, a desonra, a queda de Gustave.

— Você me enoja — ela murmura, levantando-se de sua poltrona. — Mas vou viver com ele, sabia?

Restac fica lívido. Suas mãos começam a tremer, enquanto Adrienne caminha para trás em direção à porta do salão, mergulhando aos poucos na escuridão.

– Não seremos separados de novo!

Antoine de Restac salta da poltrona. Num passo rápido, atravessa a sala. Adrienne sente o medo invadir seus pulmões, mas é tarde demais. Ele está à sua frente, colado nela. Ela não ousa se mexer. O rosto dele é atravessado por mil emoções, lideradas pela raiva e uma espécie de júbilo atroz, como se ele gostasse daquele poder. E como se apontasse uma arma, ele levanta a pasta e, com uma voz extremamente calma, diz apenas:

– Pense bem...

39

Paris, 1887

Deus, que vista mais linda! A cada vez que sobe, Claire fica sem palavras. Ela sempre teve confiança no pai, sempre foi fascinada por sua vontade tenaz e às vezes dolorosa – nem sempre foi simples ser a filha mais velha de Gustave Eiffel, principalmente depois da morte de sua mãe. Mas ela mais uma vez contempla seus frutos prodigiosos, debruçada na balaustrada, como uma sacada nos céus de Paris.

– Seria uma pena cair hoje. Espere o terceiro andar, a queda será ainda mais espetacular...

Claire solta uma gargalhada e se volta para o pai: ele está radiante. Ela nunca o viu tão feliz, tão confiante. Ele mudou muito nos últimos meses. Gustave Eiffel sempre foi um homem recatado; quando Marguerite morreu, fez de tudo para proteger os filhos das asperezas do mundo, esforçando-se para lhes dar um carinho que, para falar a verdade, ele nem sempre conseguia demonstrar. Mas havia Claire, doce, maternal, afetuosa, presente. E agora Claire se tornaria uma esposa, e logo uma mãe. O pobre Adolphe enfrentou uma verdadeira pista de obstáculos nos três anos em que vem trabalhando nos Empreendimentos Eiffel. E também uma espécie de prova. Uma Claire Eiffel precisa ser merecida, e Gustave quer que o "novato" esteja à altura da filha querida. Mas tudo corre bem. Apesar dos solavancos, das angústias, das greves, das dúvidas, a torre sobe um pouco a cada dia e Claire sonha com seu casamento.

— Pensei fazê-lo em tons de branco — diz Claire, quando seu pai se debruça na balaustrada, o ombro tocando o seu.

Eiffel segue as acrobacias de um operário que encaixa duas vigas com uma virtuosidade de dançarino, alguns metros acima deles. Que aventura! E que belo sonho!

— Meu vestido, é claro — continua Claire, com os olhos no vazio —, mas também as flores e a decoração...

— Branco para um casamento, faz sentido — zomba Gustave. — Boa ideia, minha querida.

Claire lhe dá um tapinha afetuoso, por sua ironia, mas ele ri ainda mais.

Casamento... E por que não, afinal? Ontem, com Adrienne, na floresta, eles não pareciam dois jovens noivos, junto à natureza cúmplice? Agora que ela romperá com Antoine, que finalmente ficará com Gustave, nada se oporá a que eles se tornem marido e mulher. Seus filhos menores finalmente terão uma mãe, agora que Claire se tornará independente, agora que terá seu próprio lar. Tudo parece se arranjar tão bem, se harmonizar, como aquelas peças de metal que se completam, encaixam, equilibram, formando a estrutura aracnídea na qual eles pousam como insetos.

Gustave olha para a filha com afeto.

— Sua mãe estaria muito orgulhosa de você. Da mulher que você se tornou...

Claire vira o rosto para o horizonte, com os olhos subitamente marejados. Seu pai raramente menciona Marguerite.

— Sinto falta dela — ela murmura, inspirando uma grande golfada de ar parisiense.

Eiffel passa o braço pelo ombro da filha, que se aninha em seu abraço.

Como se lutasse para não ceder a uma grande demonstração de sentimentos – ela é filha de Gustave, afinal –, Claire volta a seus devaneios matrimoniais, imaginando a festa, as roupas, a comida...

– Eu não gostaria que você convidasse todos os seus conhecidos, papai. Não será uma inauguração, apenas um casamento.

Gustave ri de novo.

– Prometo, querida.

Ele calcula, então, que eles poderiam se casar no mesmo dia. Por que não? Mas a ideia logo lhe parece horrível. Pobre Claire, ele não pode lhe roubar aquele dia. Pensar assim é suficiente para alegrá-lo novamente, e ele anseia em apresentar Adrienne às pessoas mais importantes de sua vida. Em apresentá-la *realmente*.

– Claire?

– Sim, papai?

Eiffel a encara com uma expressão estranha. De repente, parece um garotinho. Como se precisasse confessar uma travessura.

– Eu queria dizer...

Por que ele se interrompe?

– É tão grave assim? – pergunta Claire, menos preocupada do que enternecida pela timidez de seu pai.

– Há uma mulher em minha vida...

A confissão sai a meia-voz, em tom culposo. Mas Claire olha para ele com ainda mais afeição. Ele acha que ela é boba? Eiffel realmente acredita que ninguém notou nada? As visitas noturnas à obra; os retornos tardios para casa; os fios de cabelo que ela encontra nos ombros de seus paletós ao arrumar seus armários.

– Você vai ver – continua Eiffel, pegando a mão da filha –, ela é uma mulher especial.

Claire assente.

– Sim, é verdade, papai. Uma mulher impressionante. E muito bonita.

Gustave se espanta. Ele não ousa dizer mais nada. Então ela sabe? Ou adivinhou? Não importa, ele se sente leve, mais uma vez. O dia havia começado de maneira tão agradável – sabendo que Adrienne rompia com Antoine, que viria a seu encontro à noite e nunca mais o deixaria –, e agora seu amor era aceito e validado por sua família. Impossível ser mais feliz.

– Você me ajuda a falar com seus irmãos e com sua irmã?

Claire fica tão comovida com o pedido que lágrimas escorrem de seus olhos. Ela assente e se volta para a paisagem. Ao pé da torre, as obras da Exposição Universal de 1889 começaram de verdade. Mas nada pode rivalizar com a torre sonhada, pensada, planejada e construída por seu pai.

– Ela virá a meu encontro aqui, hoje à noite – diz Gustave. – Vamos morar juntos. Com vocês, se vocês aceitarem...

Os dedos de Claire apertam os seus e ela murmura:

– Estou muito feliz por você.

40

Paris, 1887

 A noite caiu. Os operários foram embora e Gustave é o único no canteiro de obras. Sozinho com sua torre. Ele gostaria de prolongar mais um pouco aquela felicidade egoísta. Tudo finalmente se alinha, com perturbadora perfeição. Em uma hora, a verdadeira mulher de sua vida virá a seu encontro e nunca mais o deixará. Agora, porém, enquanto espera, ele desfruta daquela sensação etérea, quase assustadora, da ilusão de caminhar sobre um fio. Naquela noite, tudo mudará. Em certo sentido, ele diz adeus ao passado. Não à juventude, que voltou. Mas aos anos de trabalho, obstinação, raiva, eficácia. Não é sem dor no coração que ele pensa em tudo que mudará. Um pequeno luto, sereno e doce, acompanhado de um novo começo. Será ele que avança, seu passado que se afasta, ou apenas a vida que segue um rumo que ele nunca teria acreditado se alguém o profetizasse há apenas dois anos?
 Adrienne está com ele, agora. E a vida de Gustave começa com um A maiúsculo, como a torre que se ergue no céu de Paris, prestes a atravessá-lo.

O silêncio é envolvente, quase mágico. Como se a cidade fizesse uma pausa. A estrutura se funde ao céu, misturada às estrelas. Gustave lembra da noite, 27 anos atrás, em que ele também perambulava por um canteiro de obras. Havia outro rio, que se chamava Garonne, e uma mulher que iria a seu encontro e se atiraria na água, mas ele ainda não sabia. Hoje, ele sabe; e essa certeza faz seu coração bater mais forte, palpitando com tanta alegria que ele precisa se apoiar no pilar. Embora esteja vivendo como um adolescente desenfreado, ele não deixa de ser um homem maduro, posto à prova pela vida e pela passagem do tempo. Adrienne continua com o mesmo incrível corpo juvenil, mas Gustave já passou dos 50 faz tempo, e seus médicos o incitam a não se exceder. Eiffel não lhes dá ouvidos! Nunca lhe faltou energia. A atividade é sua droga e ele não saberia viver sem projetos, sem a força da novidade e da audácia, que sempre o levou a ser o melhor, o primeiro.

– A ser o único... – ele murmura, inebriado de orgulho.

Ele ri de sua vaidade. Mas ninguém está ali para espiá-lo, e ele aproveita, mais um pouco, os últimos momentos de sua primeira vida.

De repente, ele ouve um barulho. Passos que se aproximam. Gustave se endireita e perscruta a escuridão. O som vem da entrada.

Os passos se aproximam. Seu coração se acelera: sim, são cavalos. É o rangido particular dos eixos de um coche.

Febril, Gustave sente a pele se arrepiar e caminha com pressa até o portão de entrada.

O coche está parado, do outro lado.

Gustave sorri, como se o veículo fosse um pedaço de Adrienne. Depois, ele também se imobiliza. Pois foi assim que sonhou com aquela cena, quase como num quadro. Gustave de um lado da grade, Adrienne do outro. Os dois avançam na escuridão, um na direção do outro, e se encontram na fronteira entre os dois mundos, as duas vidas, como se atravessassem um rio. Para que suas vidas finalmente começassem.

Mas nada acontece.

Os cavalos batem os cascos, impacientes, e um deles relincha. O cocheiro fuma um cachimbo, com os olhos perdidos no vazio, depois examina a estranha torre que se eleva acima de sua cabeça. Nada mais. As cortinas do coche estão fechadas, e Gustave percebe um pequeno brilho em seu interior, apesar da espessura do tecido.

Depois de alguns minutos, Eiffel começa a se preocupar. O que Adrienne está fazendo? Será uma brincadeira para atraí-lo, como um duelo em que um dos oponentes precisa entrar no território do outro, embora eles devessem se encontrar a meio caminho?

Um barulho metálico se faz ouvir. O som de um trinco.

Quando a porta do coche se abre, Eiffel se sente, ao mesmo tempo, tranquilo e preocupado. A espera se torna insuportável, pois ninguém sai lá de dentro.

Com uma desconfiança instintiva, Gustave caminha até a grade, abre-a e sai do canteiro de obras. Tudo lhe parece estranhamente longe, como se o coche se afastasse à medida que ele se aproxima. Subitamente, ele se vê na frente do veículo. O cheiro dos cavalos o atinge em cheio no rosto e se mistura a um aroma auspiciosamente familiar: o perfume de Adrienne.

A porta aberta ainda lhe oculta o interior do coche e Gustave resiste em avançar. Mas ele se sente ridículo com isso e pisa no degrau.

Então seu coração parece parar de bater.

– Boa noite, Gustave...

41

Paris, 1887

Ele raras vezes se deparou com um olhar tão violento. Antoine não o encara, ele o fulmina. A seu lado, Adrienne mantém o rosto voltado para a frente, como se não quisesse enfrentar a realidade daquele momento; como se sua presença fosse simbólica, imposta.

Eiffel não entende mais nada. O que está acontecendo? Por que eles estão juntos? Restac olha para ele com um ódio jovial, como se viesse lhe pregar uma peça...

– Adrienne?

Ela não responde. Não vira o rosto. Apenas sua luva treme, pousada nos joelhos, numa posição de boneca de cera.

– Suba – convida-o Antoine, apontando para o banco em frente ao deles.

Com certo enjoo no estômago, Eiffel sobe na cabine e Antoine fecha a porta.

– Enfim sós – ele ironiza, piscando para a esposa, que faz uma cara de nojo.

Gustave fica desconcertado. Nada está acontecendo como ele previra. A estrutura pensada pelo engenheiro desmorona, sob o sorriso malicioso de Restac.

– O que você quer, Antoine?

– Eu? Não quero nada. Enfim, nada de novo. Quero que tudo volte a ser como antes, só isso...

Eiffel se depara com um homem ferido, menos agressivo. Dado o que vem acontecendo há meses, Restac tem todos os motivos para ficar furioso. Terá vindo para uma última tentativa, por pura formalidade? Mas por que não veio sozinho, para uma conversa de homem para homem, em vez de impor a Adrienne aquela cena de mau gosto?

– Você não pode roubar a vida das pessoas assim, Gustave. Vocês arquitetos, engenheiros, pensam ver mais alto, mais longe. Acham que nada pode resistir a vocês, mas se enganam... A vida não segue fórmulas e equações.

Gustave vê o rosto trêmulo de Antoine. Aquela fala lhe é dolorosa. Mas o mais estranho é o comportamento de Adrienne: ela continua imóvel, olhando obstinadamente para a frente, como se não pudesse encarar o amante.

– Conheci Adrienne quando ela saiu do hospital, onde ficou quase um ano, prostrada, o corpo cortado em dois.

Com um gesto estranhamente afetuoso, Restac pega a mão da esposa. O mais singular é a reação de Adrienne, que não o repele. Seus dedos parecem inertes, como uma luva sem vida.

– Ela estava sozinha, e eu apareci...

Eiffel vê as bochechas de Adrienne estremecerem, como se ela finalmente voltasse à vida.

– Não construí nenhuma ponte ou torre, mas amei-a e ainda a amo. Devolvi-lhe a vida.

Os olhos de Adrienne brilham, seus lábios tremem.

– Você não pode ter tudo, Gustave. Deixe-nos em paz...

Uma lágrima escorre pelo belo rosto de Adrienne, como se quisesse destacar sua curva. Eiffel fica transtornado.

– Adrienne – ele diz, com a voz embargada, sem que ela se digne a olhar para ele, virando o rosto para o outro lado, para a cortina do coche.

– Partimos esta noite – conclui Restac.

Gustave tem um calafrio. Não, não é possível, não é verdade.

– Você não pode – rosna Eiffel.

– Não mesmo?

O rosto de Restac se transforma. O homem sincero que confessava amar a esposa recoloca a máscara de cinismo e amargura. O jornalista cruel examina o velho camarada com um ódio frio.

– O que você estaria disposto a sacrificar por seu amor a Adrienne? Não nossa amizade, isso você já fez...

– Tudo! – responde Gustave, na mesma hora. – Minha vida!

Restac explode numa gargalhada diante da exaltação de Eiffel. Seus olhos fulminam o engenheiro.

– Vejam só! Ele se atiraria no vazio para bancar o galanteador! Em sua idade, Gustave, francamente...

Sem se voltar para eles, Adrienne pega o braço do marido.

– Pare, Antoine...

Eiffel respira um pouco melhor: finalmente ouve sua voz. Mas ela não diz mais nada e mantém aquela imobilidade insuportável.

Restac dá um tapinha na mão da esposa, como um médico faria, mas conserva o tom zombeteiro.

– Está disposto a morrer por minha mulher? Parabéns, que bonito. Estúpido e bonito. Faria sucesso nos jornais. Acredito que você seja louco o suficiente para ser capaz disso... Sob seu ar distante, sempre foi o mais exaltado de nós dois. É preciso desconfiar dos tímidos...

Com um chute, Restac abre a porta do coche. O choque faz o veículo balançar e eles ouvem os cavalos relincharem de espanto. Eles sentem o ar gelado entrar na cabine. E então, apesar da escuridão, eles veem a torre. A lua sai de trás das nuvens e toca o metal com um brilho leitoso e onírico. A cena é impactante.

– E ela, Gustave?

Eiffel não entende.

– Você estaria disposto a sacrificá-la também? A renunciar a ela quando o Estado renunciar ao projeto? Quando o Conselho de Paris cortar seu auxílio? Às vezes uma simples campanha na imprensa...

Restac silencia, à espera de alguma reação de Gustave.

Eiffel fica atônito, enojado. Então será assim que as coisas terminarão? Com uma vulgar chantagem. Uma barganha sórdida, indigna.

Gustave fica sem voz. No silêncio de alguns segundos, ele se sente sozinho numa encruzilhada e não sabe o que dizer.

Adrienne finalmente vira o rosto. Ela sabe o que se passa na mente de Eiffel; o dilema é atroz e ninguém gostaria de passar por aquilo, muito menos ela.

Gustave vê em seu rosto um amor profundo, sincero. Mas também vê uma tristeza abissal, uma grande renúncia. Todos os traços de sua face estão marcados pela resignação. Se alguém está se sacrificando, é ela, apenas ela.

– A decisão é minha, Gustave. Não de Antoine. Não sua...

Eiffel sente os olhos se encherem de lágrimas. Ele gostaria de abraçá-la, estreitá-la com força, ele gostaria que tudo desaparecesse no fundo de sua memória, que nada tivesse acontecido, que eles ainda estivessem em Bordeaux, na beira do Garonne, na pequena cabana onde pela primeira vez...

Mas não. Tudo aquilo acabou. Os anos se passaram, os corpos envelheceram, os corações endureceram. Eles estão num momento de escolhas, de decisões sem alegria. De sacrifícios. Hoje, cada um perderá alguma coisa. Cada um voltará para casa humilhado, com o coração pesado, como se tivesse acabado de perder para sempre a inocência que lhe restava.

– A decisão é minha – repete Adrienne, pegando a mão de Gustave.

Restac afunda em seu assento, pois os amantes passam na frente dele, contra ele, como se ele não existisse. Ele cerra os dentes, fecha os olhos, como um doente cujo tratamento chega ao fim. Adrienne e Gustave já não o veem mais, perdidos na contemplação um do outro. Como eles foram felizes! Eles realmente acreditaram que tudo seria possível, que eles poderiam atravessar o tempo, enfrentar a vida, enganar o destino. Eles sentem as lembranças ardentes passarem de uma mão à outra, como se eles tivessem o mesmo sangue. E como se fosse difícil separá-lo. A mão de Gustave recua, mas os dedos de Adrienne se agarram aos seus. Eles não dizem nada, respiram juntos, mantêm os olhos mergulhados no outro.

Até que seus braços se separam, como se eles fossem bonecos de pano.

Quando seus pés tocam o degrau, Gustave sente o chão balançar. Ele se sente o passageiro de um barco que pisa em terra firme depois de semanas em alto-mar. Uma vertigem a cada passo.

O momento mais difícil havia chegado. Não se virar. Não buscar um último olhar, que tornaria tudo ainda mais doloroso. O Gustave de 1860 o faria. Ele teria esperado, espreitado, combatido, como fizera na casa dos Bourgès. Mas o Eiffel de 1887 amadurecera. Seria melhor? Pior? Esta não era a questão. Ele era diferente e não podia fazer nada sobre isso. Gustave e Adrienne haviam tentado abolir o tempo, ressuscitar o passado. Uma felicidade efêmera. A vida mudara, só isso.

Eiffel se afasta do coche – cuja porta ele ouve bater como se alguém enfiasse uma faca em seu coração –, recusando-se a pensar. Haverá maior prova de amor que o sacrifício de Adrienne, que tomara sua decisão para evitar que ele precisasse escolher? A dor o deixa com um nó na garganta. Como ele gostaria de enchê-la de beijos! Mas acabou. De verdade. Ele ouve os cascos dos cavalos sobre o calçamento, o veículo ganhando velocidade. O engenheiro atravessa a grade enquanto o som se afasta suavemente, timidamente. Até que ele não ouve mais nada. Gustave Eiffel está sozinho com sua torre.

Epílogo

Paris, 31 de março de 1889

    Ele já a vira tão bela? Gustave tem a impressão de nunca ter realmente olhado para ela, até aquele momento. Ela ocupou demais seus pensamentos; ele viveu por ela e para ela, adormecendo com sua imagem em mente, sorrindo-lhe ao acordar, pensando nela a cada instante. Agora os dois estão ali, frente a frente: finalmente! Ele olha para ela, sem barreiras, em toda a sua escandalosa beleza.
    A multidão está entusiasmada. O público agita pequenas flâmulas azuis, brancas e vermelhas. O Champ de Mars tem centenas de pessoas, que passaram pelas obras das construções vizinhas ainda inacabadas. A Exposição Universal abre em um mês e quase todos os pavilhões estão atrasados. Minaretes, pagodes, castelos, estufas, cabanas, há uma verdadeira volta ao mundo em frente à Escola Militar! Além do público, Gustave vê operários serrando, pintando, medindo, subindo em telhados, intensamente ocupados. Se tudo não ficar pronto a tempo para a abertura, não serão eles que ficarão mal vistos, mas a nação inteira.
    O engenheiro se sente leve ao pensar naquilo. Ele conseguiu acabar. No palco, firme em seu traje de cerimônia, ele se vira

por um instante e olha para ela mais uma vez. Que ótima ideia, aquele vermelho Barbedienne! Como se estivesse em seu mais lindo vestido de baile. A pintura lhe confere um brilho sensual que irradia o sol da primavera. Eles tiveram sorte com o céu. Embora as últimas semanas tivessem sido bem feias, a primavera chega com tudo, como se também quisesse celebrar a inauguração da torre que se erige com tanta alegria na direção das nuvens.

Eiffel está bastante satisfeito que a inauguração tenha sido adiantada. Alguns detalhes poderiam ter sido aprimorados, claro, mas ninguém notará. O público está fascinado, entusiasmado, calando todos os caluniadores que, aliás, silenciaram à medida que a edificação avançava. Quando eles chegaram ao segundo andar, somente alguns moradores dos arredores reclamaram. No terceiro, ouviam-se apenas gritos de alegria, surpresa e admiração.

– Quero subir lá no alto – as crianças diziam a seus pais ao passar pela gigantesca construção.

– Precisamos esperar a abertura da Exposição, querida.

– Vai demorar?

– Será em maio.

– Você me leva?

– Se você se comportar, quem sabe...

Quantas vezes Gustave não ouvira aquele diálogo, que era um bálsamo para seu coração?

Aliás, embora esteja sendo inaugurada naquele dia, os visitantes só poderão subir na torre depois da abertura da Exposição. Ainda é preciso resolver alguns detalhes nas escadas e nos elevadores. É uma semi-inauguração, portanto.

Ele poderia ter recusado aquela inauguração adiantada? Deveria ter feito isso? Não, Eiffel não teve escolha. Tudo por uma questão de política, como sempre. Com suas declarações ousadas e sua crescente popularidade, o general Boulanger estava a dois passos de balançar a República, e a imprensa o acompanhava diariamente, complacente com tudo. Era preciso desviar o olhar do público, levá-lo a admirar não um militar incômodo, mas um verdadeiro fruto da República, uma filha de ferro, um orgulho nacional.

A estratégia dá certo. Em poucos dias, os jornais não falam de outra coisa. Todas as capas mostram o engenheiro e sua loucura de metal, que passa a ser chamada de Torre Eiffel.

Há muita alegria no Champ de Mars. Com o público a seus pés, a torre atrás de si, Gustave se sente entre dois mundos. Sua vida não foi sempre assim?

Ele sente uma mão tocar a sua.

– Tudo bem, papai?

Claire o encara com grande afeto. Ela tem a outra mão na própria barriga, já bastante grande.

– Que lindo ano – murmura Eiffel, pousando um beijo furtivo nos cabelos da filha.

Não é o momento de se expor. Mas o público não presta muita atenção no engenheiro. Os curiosos tentam identificar as pessoas que sobem no palco, cada vez mais cheio.

– Aquele não é Sadi Carnot? – pergunta alguém na multidão.

– Claro que não. O presidente não está aqui. Ele virá para a abertura da exposição.

– E aquele à esquerda?

– É Tirard, o presidente do Conselho.

– E o bigodudo?

– Lockroy, um antigo ministro.

– Você conhece todo mundo, hein?

– Mantenho-me informado, só isso...

Gustave sorri quando esses fragmentos de conversas chegam até ele.

– E o senhor grisalho que segura a mão da jovem grávida?

– Ah, aquele não sei. Deve ser um funcionário. Alguém sem importância.

Eiffel e a filha contêm o riso ao ouvir aquela resposta. Eles precisam manter a seriedade, pois uma banda militar começa os primeiros acordes. Do outro lado da massa à sua frente, em outro palco, o orfeão toca o marcial *Sambre et Meuse*, que inflama a multidão. As pessoas aplaudem, bradam "Viva a França!", "Viva a Alsácia!", "Viva o presidente Carnot!". Perto de Eiffel, os políticos trocam olhares cúmplices e satisfeitos: a cerimônia cumpre seu papel.

Têm início os discursos, intermináveis. Eiffel ouve seu nome ser mencionado, sorri, inclina-se, mas age como um autômato. Os elogios são intercambiáveis e ele está longe, a milhas de distância daquela multidão. Seu corpo está presente, escravo da gravidade, mas sua mente flutua trezentos metros acima de Paris, perto da pequena cápsula que coroa sua torre. Que longo caminho eles percorreram. Como estão longe do pilar de Koechlin e Nouguier, o projeto no qual ele não acreditava! Aconteceram tantas coisas em apenas três anos. Instintivamente, Eiffel repassa aqueles anos de loucura, de intensidade, de paixão. De sofrimento, também. A cada vez que um fantasma surge em sua memória, ele o afasta, como se virasse as costas ao passado. Ainda é cedo demais, penoso demais. Mas foi para ela que ele fez tudo aquilo. Foi graças a ela que conseguiu. Mesmo ausente, ela estava a seu lado, presente em todas as suas decisões, como se continuasse murmurando em seus ouvidos a direção a seguir, o caminho a percorrer, sem nunca se enganar. Em certo sentido, ele se sentiu protegido, como um marinheiro que navega sob a bênção de um santo, de uma fada. Aquela torre era ela, pois ela a quisera tanto quanto ele, com a mesma paixão.

— Este deve ser, meu caro Eiffel, o melhor dia de sua vida! Meus parabéns!

Eiffel volta a sorrir. Ele se ouve agradecer, sob os aplausos da multidão. Mas não é ele quem fala. Ou quase. Gustave continua longe, segurando uma mão invisível.

Ele nunca voltou a vê-la. Como Antoine havia anunciado, eles foram embora. Deixaram Paris, sem dizer nada. E ninguém se espantou. Os jornalistas nunca deixam saudades. Quanto às mulheres bonitas, sempre haverá outras. Ainda mais jovens, ainda mais fascinantes.

O olhar de Eiffel é subitamente capturado. Não exatamente por uma silhueta, mas por uma mancha de cor, uma sombra vermelho-escura. No meio da multidão. Gustave a vê porque ela é a única a não se mexer. Os curiosos se agitam, erguem a cabeça para a torre, murmuram uns nos ouvidos dos outros, comem biscoitos ou dançam ao som da banda militar, que toca em surdina, sob as falas oficiais. Ela, em contrapartida, se mantém imóvel. Como uma estátua no meio do público. Uma estátua de vestido vermelho-escuro, com um véu cobrindo seu rosto. Gustave só tem olhos para ela. Quando Lockroy toma a palavra – lembrando que embora não fosse mais ministro, fora ele quem lançara aquele projeto magnífico –, Eiffel tem a impressão de que todos se calam. Um silêncio ensurdecedor invade o Champ de Mars. As bocas se abrem para o vazio, as pessoas se deslocam sem fazer barulho, os operários batem pregos surdos. Ele só ouve a própria respiração e o som dos dedos da desconhecida que levanta seu véu.

Seus olhos não mudaram. Felinos, imensos, vorazes, eles ocupam todos os espaços. Gustave sente a multidão desaparecer. Aquele olhar o contempla com admiração, afeto, amor, apagando tudo. Apagando o público e o rancor, o sofrimento, a ausência, a falta. Ela está ali, apesar de tudo, apesar dos outros, apesar deles mesmos. E agora que seus olhos de gato se enchem de lágrimas – lágrimas de alegria, de alívio –, Gustave sente seu próprio rosto vibrar de emoção. Tudo subitamente ganha vida. Ele fica tonto e quase perde o equilíbrio.

– Tudo bem, papai?

Claire volta a pegar sua mão e olha para ele com preocupação. A última vez que o vira chorar fora no enterro de Marguerite. Mas hoje seu pai também chora. Não com soluços inoportunos, apenas com duas pequenas lágrimas, que percorrem seu rosto e se perdem na elegante barba grisalha que ela ajudara a aparar pela manhã.

– Está tudo bem, minha querida.

Quando ele levantou o rosto, a sombra vermelho-escura desapareceu. O zunzum e a alegria ruidosa da multidão voltaram. Os elogios oficiais continuam. Ela não está mais ali.

A dor no peito é terrível, quase insuportável. Mas ele avista, então, atrás da banda militar, no meio das obras vizinhas, um vulto vermelho-escuro que se afasta. Antes de passar pelo último pagode anamita, ela se volta uma última vez. Apesar da distância, Gustave enxerga seus olhos de gato. E um sorriso, para sempre imenso.

Depois Adrienne desaparece.

– E agora vamos passar a palavra ao herói do dia, uma de nossas grandes glórias nacionais, um homem que honra a República e a França: senhor Gustave Eiffel!

Gustave mal consegue reagir. Ele tem a impressão de estar imerso numa piscina de algodão.

Deixando seu corpo e flutuando acima de Paris, ele acaricia o topo de sua torre. Mas ele segue no palco. E depois de beijar a filha, tira algumas folhas do bolso interno do paletó.

A multidão aguarda em silêncio. Embora estivesse distraída durante a lenga-lenga dos políticos, agora está absolutamente atenta. Era por causa dele que as pessoas estavam ali, e mais ninguém. Por causa dele e de sua torre.

Gustave ouve sua própria voz, mas não presta atenção em suas palavras. O que ele acabara de ver, apesar da distância, apesar da multidão, dera sentido a tudo o que ele fizera nos últimos dois anos. E isso o deixa feliz. Seu amor deixava uma marca, plantada para sempre no solo de Paris, como as iniciais de dois amantes no tronco de uma árvore.

Ele se ouve explicando às pessoas como a torre nasceu, suas peripécias, suas escolhas, suas dúvidas. Diante da lista de números, que ele recita com perícia – Claire o fizera repetir o discurso pela manhã –, o público exclama de admiração.

– A torre Eiffel mede exatos trezentos metros. Com uma bandeira, chega a 312. Suas dimensões na base são de 125 metros por 125 metros. Ela tem 18.038 peças metálicas e 2.500.000 rebites. São 1.665 degraus, do chão até o topo...

Cada número é recebido com ovações. E Gustave prossegue, sob os aplausos da multidão ébria de admiração.

No entanto, uma coisa ele não diz. Um detalhe que ele guarda só para si, como seu segredo mais doce. Nem mesmo sua filha o conhecerá, pois há coisas que só dizem respeito aos envolvidos. Dobrando seu discurso, sob os vivas da multidão, Gustave Eiffel murmura para si mesmo, como se soprasse um beijo a uma lembrança feliz:

– Ela tem a forma de um A.

Anexo

Protesto dos artistas contra a torre Eiffel,
14 de fevereiro de 1887.

Ao sr. Alphand,

Caro compatriota,

Nós, escritores, pintores, escultores, arquitetos, amadores apaixonados pela beleza até então intacta de Paris, vimos protestar com todas as nossas forças, com toda a nossa indignação, em nome do incompreendido gosto francês, em nome das ameaçadas arte e história francesas, contra a construção, em pleno coração de nossa capital, da inútil e monstruosa torre Eiffel, que a malignidade pública, com frequência cheia de bom senso e espírito de justiça, já batizou de "torre de Babel".

Sem cair na exaltação do chauvinismo, podemos proclamar em alto e bom som que Paris é uma cidade sem igual no mundo. Acima de suas ruas, de seus amplos bulevares, ao longo de seus admiráveis cais, entre seus magníficos parques, surgem os mais nobres monumentos que o gênio humano produziu. A alma da França, criadora de obras-primas, resplandece junto a essa augusta floração de pedra. Itália, Alemanha, Flandres, tão orgulhosas, com razão, de suas heranças artísticas, não possuem nada que seja comparável à nossa, e de todos os cantos do universo Paris atrai a curiosidade e a admiração. Deixaremos que tudo isso seja profanado? A cidade de Paris se associará por mais tempo às barrocas e mercantis imaginações de um construtor de máquinas, para se deixar desfigurar irreparavelmente e se desonrar? Pois a torre Eiffel, de que nem a comercial América gostaria, é, não tenham dúvidas, a desonra de Paris. Todos o sentem, todos o dizem, todos se afligem profundamente, e não passamos de um fraco eco da opinião universal, tão legitimamente alarmada. Quando os estrangeiros vierem visitar nossa Exposição, eles exclamarão, espantados: "O quê? Foi esse horror que os franceses construíram para nos dar uma ideia de seu gosto tão grandemente louvado?". E eles terão razão de zombar de nós, porque a Paris dos góticos sublimes, a Paris de Jean Goujon, de Germain Pilon, de Pierre Puget, de François Rude, de Antoine-Louis Barye etc. terá se tornado a Paris do senhor Eiffel.

Basta, aliás, para se dar conta do que afirmamos, imaginar por um instante uma torre vertiginosamente ridícula, dominando Paris, como uma gigantesca e negra chaminé de fábrica, esmagando com sua massa bárbara a Notre-Dame, a Sainte-Chapelle, a torre Saint-Jacques, o Louvre, a cúpula dos Invalides, o Arco do Triunfo, todos os nossos monumentos humilhados, todas as nossas arquiteturas diminuídas, que desaparecerão nesse pesadelo estarrecedor. E por vinte anos veremos estender-se sobre toda a cidade, que ainda vibra o gênio de tantos séculos, veremos estender-se como uma mancha de tinta a sombra odiosa da odiosa coluna de metal rebitado.

É ao senhor, caro compatriota, ao senhor que tanto ama Paris, que tanto a embelezou, que tantas vezes a protegeu das devastações administrativas e do vandalismo dos empreendimentos industriais, que cabe a honra de defendê-la mais uma vez. Confiamos ao senhor a responsabilidade de defender a causa de Paris, sabendo que o senhor dedicará toda a energia e toda a eloquência que o amor por aquilo que é belo, que é grande, que é justo, deve inspirar a um artista como o senhor. E se nosso grito de alarme não for ouvido, se suas razões não forem ouvidas, se Paris se obstinar na ideia de desonrar Paris, teremos ao menos, o senhor e nós, expressado um protesto honrado.

Já assinaram:

Meissonier, Ch. Gounod, Charles Garnier, Robert Fleury, Victorien Sardou, Édouard Pailleron, H. Gérôme, L. Bonnat, W. Bouguereau, Jean Gigoux, G. Boulanger, J.-E. Lenepveu, Eug. Guillaume, A. Wolff, Ch. Questel, A. Dumas, François Coppée, Leconte de Lisle, Daumet, Français, Sully-Prudhomme, Élie Delaunay, E. Vaudremer, E. Bertrand, G.-J. Thomas, François, Henriquel, A. Lenoir, G. Jacquet, Goubie, E. Duez, de Saint-Marceaux, G. Courtois, P.-A.-J. Dagnan-Bouveret, J. Wencker, L. Doucet, Guy de Maupassant, Henri Amic, Ch. Grandmougin, François Bournaud, Ch. Baude, Jules Lefebvre, A. Mercié, Cheviron, Albert Jullien, André Legrand, Limbo, etc.

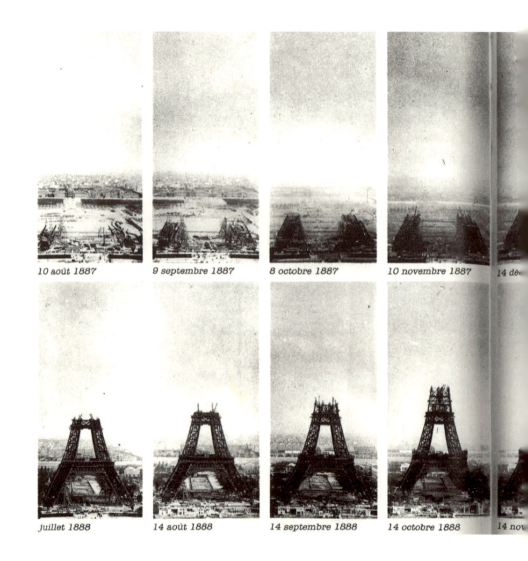

Este livro foi composto com tipografia adobe Adobe Garamond Pro
e impresso em papel Off-white 80 g/m² na Formato Artes Gráficas.